Les destins guerriers

DE LA MÊME AUTEURE
DANS LA MÊME COLLECTION

Nadjal
La lettre de la reine

Série «Les guerres d'Eghantik»:

La quête de la Crystale
Un traître au temple
Le château d'Amitié
Désillusions
Le guet-apens

Série «Les changelins»:

À dos de dragon

Série «La Guerre des Cousins»:

L'héritage des jumeaux
Les destins guerriers
Le destin de Coricess
L'automne de l'Eghantik (à paraître)
Le printemps des rois (à paraître)

Série «La guerre des cousins»
Deuxième partie

Les destins guerriers

Julie Martel

MÉDIASPAUL

Les Éditions Médiaspaul remercient le ministère du Patrimoine canadien, le Conseil des Arts du Canada et la Société de développement des entreprises culturelles (SODEC) pour leur Programme d'aide à l'édition.

Catalogage avant publication de Bibliothèque et Archives Canada

Martel, Julie, 1973-

Les destins guerriers

(Série La guerre des cousins; 2)
(Jeunesse-pop; 156. Fantastique épique)

ISBN 2-89420-627-5

I. Titre. II. Collection: Martel, Julie, 1973- . Série La guerre des cousins; 2. III. Collection: Collection Jeunesse-pop; 156. IV. Collection: Collection Jeunesse-pop. Fantastique épique.

PS8576.A762D472 2005 jC843'.54 C2004-942128-X
PS9576.A762D472 2005

Composition et mise en page: *Médiaspaul*

Illustration de la couverture: *Laurine Spehner*

ISBN 2-89420-627-5

Dépôt légal — 1er trimestre 2005
Bibliothèque nationale du Québec
Bibliothèque nationale du Canada

3965, boul. Henri-Bourassa Est
Montréal, QC, H1H 1L1 (Canada)
www.mediaspaul.qc.ca
mediaspaul@mediaspaul.qc.ca

Imprimé au Canada — Printed in Canada

Merci, Stéphane,
pour tes souvenirs clandestins.

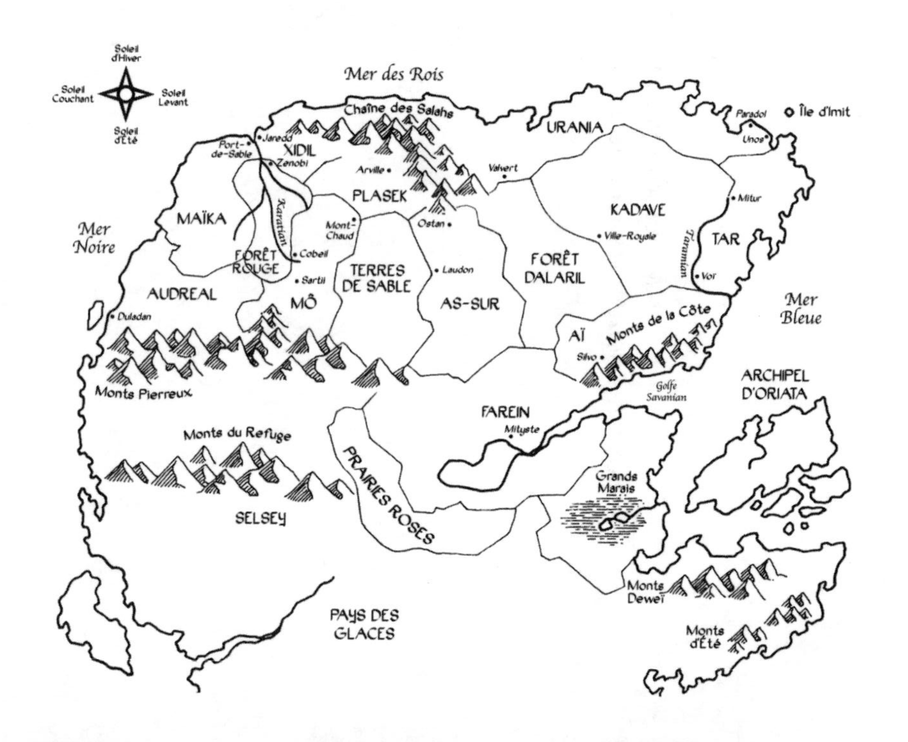
Soleil d'Hiver
Soleil Couchant
Soleil Levant
Soleil d'Été
Mer des Rois
Chaîne des Salahs
URANIA
Paradol
Île d'Imit
Unos
Port-de-Sable
Jaredd
XIDIL
Zenobi
Arville
Valvert
PLASEK
KADAVE
Mitur
MAÏKA
Karatian
Mont-Chaud
Ostan
Ville-Royale
Mer Noire
TAR
Taramian
FORÊT ROUGE
Cobeil
TERRES DE SABLE
Laudon
FORÊT DALARIL
Sartil
Vor
AUDREAL
MÔ
AS-SUR
Mer Bleue
Duladan
AÏ
Monts de la Côte
Silvo
Monts Pierreux
Golfe Savanian
ARCHIPEL D'ORIATA
FAREIN
Mityste
Monts du Refuge
PRAIRIES ROSES
Grands Marais
SELSEY
Monts Deweï
PAYS DES GLACES
Monts d'Été

1
Mont-Chaud

Golven et Ertus arrêtèrent leurs coursiers d'un même mouvement. L'été était bien entamé, les deux voyageurs avaient quitté Arville depuis douze jours, mais Golven n'en revenait toujours pas de se trouver là, aux côtés de l'homme noir, dans le Mô. Il possédait encore la selle qu'il avait réussi à s'acheter à Ostan; cependant, il montait à présent le plus beau coursier qu'il eût jamais vu. La bête n'avait rien à voir avec le vieux canasson qui l'avait porté d'ennuis en ennuis, le printemps précédent. Mais, de toute façon, sa vie actuelle n'avait plus rien à voir avec celle qu'il avait menée avant de rencontrer son mentor. D'un jeune prince pauvre devenu voleur pour subsister, l'homme noir avait fait un ménestrel; ensuite, il lui avait révélé qu'il était en fait l'héritier légitime du trône d'Eghantik. Vraiment, Ertus n'était pas un magicien ordinaire... Pourtant, chaque nuit avant de s'endormir, Golven songeait que les choses s'étaient passées trop vite. Tout aurait été plus simple si, après s'être enfui de chez lui pour éviter un mariage forcé, il avait réussi à se rendre à Unos, la capitale du royaume. Là-bas, il aurait quémandé un peu d'or à son cousin, le roi Paol, pour réparer son châtelet en ruine. Et la vie à Arville se serait poursuivie sans heurt, comme elle l'avait toujours fait.

Malheureusement, Golven ne pouvait se leurrer: même s'il était retourné au châtelet d'Arville avec assez d'or pour subsister, son chemin aurait croisé celui d'Ertus. Et l'homme noir lui aurait malgré tout dévoilé quel destin l'attendait. Même riche, le jeune prince d'Arville aurait dû prendre le chemin de la guerre avec son mentor, puisque le créateur souhaitait le voir remplacer son cousin sur le trône. Pour que Golven échappe à ce destin, il aurait fallu que son père ne se fasse pas tuer... Mais ces pensées-là non plus ne le menaient nulle part. Le jeune homme poussa un soupir, tentant de chasser l'appréhension qui le rongeait.

Son compagnon parut lire dans ses pensées, car il se tourna vers lui, l'air grave.

— Inquiet?

Golven hocha la tête. Devant lui, d'un rouge vif qui semblait briller sous le soleil cru du midi, le château de Mont-Chaud se dressait sur le flanc de la dernière montagne des Salahs. Les Moïs racontaient qu'il s'agissait d'un volcan éteint, mais que des braises rougeoyaient toujours au fond de la montagne. C'était peut-être vrai, car on trouvait deux sources d'eau chaude dans les sous-sols de Mont-Chaud. Si Golven avait l'heur de plaire au comte Panas, maître du château, les deux voyageurs auraient sans doute l'occasion d'y faire trempette.

— Je t'ai dit que Panas du Mont t'appuie sans réserve, répéta Ertus.

— Oui, il t'a dit qu'il préférerait un autre roi sur le trône que Paol le mou. Ça ne signifie pas pour autant qu'il va m'aimer quand tu nous présenteras. Ni qu'il nous donnera de l'or, ou des guerriers.

À l'idée de porter la guerre dans tout le royaume, Golven se sentit à nouveau étreint par le doute. Qui était-il, au fond, pour déclencher une guerre? Il se savait le souverain légitime, celui qu'Occus désirait voir sur le trône d'Eghantik. Mais la guerre ne rendrait pas les gens plus heureux, comme le jeune prince s'était juré de le faire. Des centaines d'hommes perdraient la vie sur le champ de bataille. Sans parler du sort réservé à Paol... Et lui-même risquerait sa vie dans cette entreprise. Ertus avait bien dit qu'on ne l'accepterait pas pour roi facilement, surtout au Levant, malgré l'appui du grand prêtre d'Occus. Il serait sans doute plus valorisant de mourir sur un champ de bataille en tant qu'héritier du trône que pendu avec d'autres voleurs, comme cela avait bien failli lui arriver, mais la perspective ne plaisait guère à Golven.

— Je crois qu'il vaut mieux se remettre en route, grommela Ertus. Sinon, je le crains, tu tourneras bride!

L'homme noir fit galoper son coursier sur le chemin qui serpentait jusqu'à la forteresse et Golven le suivit avec un instant de retard. Mieux valait mettre ses doutes de côté, car son mentor avait nécessairement raison: Ertus était un demi-dieu, après tout.

À sa visite précédente à Mont-Chaud, Ertus s'était étonné de trouver le pont-levis abaissé en permanence. Il avait alors appris qu'il était défectueux depuis belle lurette. Mais, comme la dernière guerre remontait à quelques générations, le comte du Mont n'avait pas jugé bon de dépenser ses pièces d'or afin d'en faire réparer le mécanisme. Seuls deux gardes se trouvaient donc de chaque côté, interrogeant les nouveaux arrivants. Et à en juger par l'intérêt exagéré qu'ils portèrent à Golven et Ertus — deux voyageurs que rien ne distinguait pourtant des autres —, il ne devait pas y avoir beaucoup de visiteurs, à Mont-Chaud. D'ailleurs, ils reconnurent immédiatement le cavalier vêtu de noir qui s'était présenté devant le comte Panas au tout début de l'été. Ils le saluèrent du chef, sans l'arrêter, et les deux voyageurs pénétrèrent dans l'enceinte du château.

Mont-Chaud datait de plusieurs siècles et différait des autres châteaux que Golven avait visités, la saison précédente, en tant que musicien. Arville, sa propre demeure, avait été autrefois une belle bâtisse entourée de ses écuries et des bâtiments de ferme, au centre d'un magnifique domaine agricole. Cependant, même au temps de la fortune du prince Volrad, une douzaine de personnes, au maximum, y avaient résidé. Le château LaFlèche, au milieu des pics rocheux des Salahs, abritait entre ses murs plusieurs maisons d'artisans. Derrière sa façade carrée et imposante, la forteresse de Mont-Chaud aurait pu loger à la fois Arville et LaFlèche! Golven ne s'était jamais retrouvé dans un endroit aussi vaste.

— Étourdissant! s'exclama-t-il en avançant aux côtés d'Ertus. C'est aussi grand que... C'est plus grand... que Valvert!

Ertus sourit et hocha la tête mais, manifestement, il avait l'habitude des grandes villes et Mont-Chaud ne l'impressionnait pas.

— Étourdissant peut-être, mais plutôt fruste, non?

Certes, les pierres rouges manquaient de fioritures. Malgré leur couleur flamboyante, les murs n'étaient ornés d'aucune rosace, statuette ou gargouille. Tout ici n'était qu'angles droits. Aucune courbe n'était visible, aucun angle inutile, rien qui eût été érigé par pure fantaisie. Le château datait d'une époque guerrière et semblait avoir été construit par des gens sans imagination. Tout paraissait bien organisé, cependant, derrière les murs rouges de Mont-Chaud. Les maisons aux toits de bois étaient bien entretenues; près des habitations, on avait réservé des espaces pour les potagers et pour les enclos des bêtes... La cacophonie de l'endroit était, en définitive, la seule marque de désordre. Et seuls les enfants avaient l'air désœuvrés. Golven en fut écrasé:

— Quiconque règne sur une cité si bien ordonnée mérite davantage que moi de s'asseoir sur le trône d'Eghantik, soupira-t-il.

— Ce ne sont pas les Eghans qui ont construit Mont-Chaud, expliqua Ertus tandis que le duo suivait la rue principale qui menait vers l'escalier du château comtal. Un autre peuple occupait le territoire quand nous sommes arrivés, à la fin de notre long exode. Les Moïs et les nomades bagatsers en sont les descendants.

— C'est vrai? Je ne l'avais jamais entendu dire. J'ignorais que le roi Acolyn ait dû lutter pour s'approprier l'Eghantik.

— Non, car quand nous sommes arrivés ici, il ne restait presque rien de leur peuple. Ils s'étaient livré tant de guerres entre eux que la majorité de leurs forteresses étaient déjà en ruine. Seuls les femmes, les enfants et les vieillards habitaient encore les châteaux intacts, avec une poignée de guerriers. Ils ne connaissaient pas Occus, ni aucune des déesses-lunes, ils ne respectaient aucune tradition… Aujourd'hui, ils se sont fondus parmi les Eghans, sans laisser d'autre souvenir que quelques châteaux.

— Triste destin… Y a-t-il une chose sur le sol d'Afford que tu ne saches pas?

— Comment veux-tu que je sache ce que je ne sais pas? répondit ironiquement le demi-dieu.

Un garde prit la bride des coursiers des voyageurs et ceux-ci grimpèrent l'escalier abrupt qui montait au château. Carrée et sévère à l'extérieur, la bâtisse n'offrait guère de spectacle plus gai à l'intérieur. Le bâtiment principal n'était rien d'autre qu'une tour vertigineuse, percée d'une dizaine de fenêtres, dans les hauteurs. La double porte, au bout de l'escalier, ouvrait donc sur une pièce rectangulaire dont le plafond se perdait dans l'obscurité. Après l'éclatant soleil du midi, on avait l'impression de pénétrer dans un trou sombre lorsque l'on passait les portes du château.

— Jadis, des centaines de candélabres illuminaient cet endroit, révéla Ertus à son protégé.

L'écho s'empara traîtreusement des paroles de l'homme noir et les porta jusqu'aux oreilles du comte Panas, assis au fond de la pièce. Il se mit à rire d'une voix nasillarde.

— De nos jours, les bougies coûtent cher et mon or me sert à autre chose qu'à acheter de la lumière, lança-t-il sans se lever.

Les portes du château se refermèrent avec un claquement carcéral et la pièce se trouva complètement coupée du soleil. Golven ne put s'empêcher de frissonner, autant parce qu'il faisait frais, chez le comte du Mont, que parce que l'obscurité le rendait mal à l'aise. Plusieurs gardes armés l'entouraient, il les distinguait à peine et ignorait leurs intentions… Il n'aimait pas cet endroit, pas plus que la façon dont ses bottes résonnaient sur le sol de pierre polie. Le visage anguleux de Panas ne lui inspirait aucune confiance… Celui-ci ne devait pas être plus âgé que lui-même! Cinq chandelles luisaient autour du prince; Ertus s'approcha de cette zone lumineuse sans se faire prier.

— Mes paroles ne sous-entendaient aucune critique, Panas. Vous savez que j'admire la façon dont vous gérez vos biens. Et je ne suis qu'un magicien: comment oserais-je critiquer ceux qui portent de lourdes responsabilités?

— Un simple magicien! s'esclaffa encore le prince. On m'a dit que vous êtes plus que cela... Est-ce lui, le roi dont vous m'avez parlé?

— Je suis Golven d'Arville, fils du prince royal Volrad d'Eghantik, se présenta fièrement le rouquin.

Les Plasekois étaient réputés pour leur manque de formalisme. Néanmoins, Golven était choqué de voir que Panas du Mont, bien qu'il attendît leur visite depuis un certain temps, ne s'était pas donné la peine de se lever pour les accueillir. Ertus l'avait prévenu qu'il se montrerait impoli; tous les comtes de Mont-Chaud agissaient ainsi, même envers des princes. En digne descendant de sa lignée, Panas prit donc son temps pour examiner le prétendant au trône, un examen que celui-ci subit de mauvaise grâce. Mais, à la fin, le jeune comte abandonna son air grave et éclata à nouveau de rire.

— Un roi d'Eghantik roux? J'en connais qui n'aimeront pas ça! Mais vous me semblez honnête, c'est ce qui compte. Bienvenue chez moi, prince Golven! Ce soir, mes frères et moi boirons à votre santé!

Golven eut à peine le temps de comprendre ce qui lui arrivait avant de se retrouver étouffé dans une brusque accolade. Plus tard, Ertus lui expliqua que les Moïs étaient ainsi: parfois déchaînés, impossibles à raisonner lorsqu'ils étaient en colère, ils accordaient cependant leur amitié en un instant, dans de grandes démonstrations de fraternité... Noyées dans plusieurs barriques de vin capiteux, en général.

À la fin de la soirée, les nouveaux alliés fin saouls avaient amplement eu le temps de faire connaissance, de se conter leurs brèves vies de jeunes hommes et leurs rares aventures, de s'avouer leurs travers et de se jurer une amitié éternelle. Au matin, quand Golven se réveilla avec l'envie de vomir ses tripes et qu'il entendit parler de la fête officielle que Panas du Mont avait décidé de donner en son honneur, il se demanda sérieusement si le jeune comte lui garderait son amitié si le prétendant au trône disparaissait en catimini avant les célébrations. Et tant pis pour la source d'eau chaude qu'Ertus espérait lui faire découvrir: Golven ne pourrait plus sentir l'odeur du vin capiteux du Mô sans haut-le-cœur...

2
Première escarmouche

Le voyage entre Mont-Chaud et Château-Frontière fut pénible pour Golven. Le terrain plat, à perte de vue, n'offrait aucun paysage intéressant au jeune homme qui voyageait pour la première fois si près des Terres de Sable. Les champs de *modso* bien mûr et blond faisaient certes un joli contraste avec le bleu du ciel. Néanmoins, après plusieurs jours à chevaucher sous un soleil de plomb à la tête de la petite armée offerte par Panas du Mont, le prince d'Arville en vint à regretter l'ombre des montagnes vertigineuses du Plasek. Il aurait aimé traverser une forêt, ou même un bosquet, où ses soldats et lui auraient pu casser la croûte.

Mais des arbres, il n'y en avait guère dans cette partie du Mô. Tellement que les maisons, dans les villages qu'ils traversèrent, n'étaient pas faites de bois mais plutôt de terre séchée. Certaines habitations moïses arboraient un toit de tuiles rouges, d'autres, plus modestes, un simple toit de chaume. Et Golven, émerveillé de découvrir ces villages exotiques où habitaient des gens à la peau basanée par le soleil et aux cheveux noirs comme la nuit, se surprit à penser à son amie, la ménestrelle Aziliz. Chaque jeune fille perchée sur une clôture — généralement entourée d'une ribambelle de frères — lui rappelait la jeune chanteuse avec qui il avait voyagé en Urania. Lui rappelait, aussi, à quel point le Mô était différent du Plasek. La mère d'Aziliz avait dû fuir son village natal avec son bébé nouveau-né pour éviter que son père ne la tue. Ici, les hommes préféraient engendrer des fils. Le jeune prince songea alors que les coutumes de la région lui étaient aussi étrangères que le paysage et que, sans doute, il ne lui serait pas facile de comprendre le marquis de Mô qu'il s'en allait rencontrer... Il s'était senti rasséréné, après avoir fait bombance à Mont-Chaud, quant à son avenir de roi. Dans les plaines du Mô, l'inquiétude lui revenait.

Par chance, l'eau ne manquait nulle part, aux abords des Terres de Sable. Il y avait des puits dans tous les villages, évidemment, mais aussi le long de la route entre Mont-Chaud et Château-Frontière. Golven s'en félicitait, car, au rythme où les cent hommes de Panas du Mont avançaient, ils seraient morts de chaleur longtemps avant d'arriver à destination.

— Nous allons visiter toutes les grandes villes du Couchant, n'est-ce pas? demanda un soir Golven à Ertus. Est-ce que partout on nous donnera des hommes pour constituer notre armée?

— Ceux qui se rallieront à ta cause te donneront des soldats, c'est probable, répondit le magicien en remuant le contenu de la marmite qui chauffait au-dessus du feu.

— Je suppose que c'est une bonne chose, soupira le jeune homme. Mais nous parviendrons en Urania au pas de tortue!

Ertus se mit à rire. Il expliqua alors à Golven qu'en effet, il serait souhaitable pour lui de se présenter devant le roi Paol à la tête d'une armée considérable, s'il désirait le vaincre. En revanche, il ne serait pas bon pour l'armée de le suivre de ville en ville, des Terres de Sable aux Monts Pierreux, puis jusqu'à la chaîne des Salahs. Plusieurs soldats le feraient, bien sûr. Ils constitueraient le noyau de l'armée, la garde personnelle du prétendant au trône, mais cette garde ne compterait certainement pas plus de deux cents hommes.

— Cela nous permettra de nous déplacer un peu plus vite qu'avec une armée de mille hommes, poursuivit Ertus. Et avec deux cents soldats, nous ne serons pas sérieusement menacés par les troupes de ceux qui voudront stopper notre avancée. Les hommes choisis seront les plus habiles; nous le leur dirons, ils en seront fiers et deviendront encore meilleurs. Deux cents soldats dévoués sont plus efficaces que le double, démotivés...

Golven n'avait jamais connu la guerre, contrairement à Ertus. De ce fait, les considérations stratégiques que l'homme noir lui dévoilait l'ennuyaient un peu.

— Qu'est-ce que nous ferons avec ceux qui n'auront pas été choisis? le coupa-t-il.

— Nous leur donnerons rendez-vous de l'autre côté des Salahs. Nous chargerons un général, un homme de confiance et d'expérience, de les mener en Urania. Ainsi, nous commencerons notre véritable avancée vers Unos à la tête de notre armée au grand complet. Et cette armée nous aura coûté moins cher!

— Au fait, parlant de coûts...

Golven savait bien qu'il fallait beaucoup d'or pour nourrir une armée, mais la question d'avoir à payer les soldats pour les garder n'avait jamais été soulevée.

— Ça coûte combien, un soldat?

Ertus sourit et rappela à son protégé que la solde des hommes de Mont-Chaud ne posait aucun problème, du moins pour deux cents jours; le comte Panas lui avait fait don de ses droits sur eux. D'autres princes feraient sans doute de même et Golven pouvait raisonnablement espérer des cadeaux substantiels en espèces sonnantes de la part de ses alliés, mais cela ne suffirait pas. Par chance, certains lui prêteraient de l'or… Le jeune homme se réveillait parfois, au milieu d'un cauchemar, étreint par l'angoisse d'avoir à rembourser tous ses nobles créditeurs en cas d'échec contre Paol. Il s'en ouvrit à son mentor et celui-ci se permit un rire léger.

— Tu as été choisi par Occus. Comment peux-tu douter de ta victoire?

Certes, l'idée paraissait absurde. Toutefois, les soucis financiers avaient toujours fait partie de la vie de Golven et à présent qu'il se retrouvait avec la responsabilité d'une armée… Il savait que les cauchemars continueraient de le tourmenter.

— Je ne comprends pas ton inquiétude, Golven, avoua Ertus. Je t'ai prévenu, à Arville, que la guerre coûte cher. Mais je t'ai dit aussi que tu n'auras jamais à t'en faire: j'ai accumulé une petite fortune, au fil des ans. Ma Tour renferme des trésors que je mets à ta disposition sans hésiter!

— D'accord, mais cette Tour, elle se trouve… Au beau milieu de la forêt Dalaril, non? Et si nous manquons d'or alors que nous sommes encore très loin de là?

Golven connaissait bien la valeur d'une pièce d'or pour en avoir cruellement manqué. Partagé entre sa gratitude envers Ertus et son inquiétude à l'idée de manquer de fonds — sans parler de l'obligation, encore abstraite, de rembourser les nobles du Couchant une fois devenu roi — il avait les idées embrouillées et cherchait ses mots.

— Je suis magicien. Cesse de t'en faire avec des broutilles!

Sentant l'agacement dans la voix de son mentor, Golven rougit. Il chercha à nouveau à justifier ses craintes, mais, très vite, ces considérations devinrent secondaires. Des flèches enflammées surgirent d'entre les épis de *modso*, embrasant la nuit. Personne ne s'était attendu à devoir se battre si vite, pas plus Ertus que les autres. Et puisque la plupart des hommes de Mont-Chaud n'étaient pas des guerriers expérimentés, il fallut un long moment avant que la défense ne s'organise, malgré les ordres criés par l'homme noir.

Le premier instant de surprise passé, les épis furent violemment secoués, en bordure de la route, et des Moïs armés surgirent des champs. Heureusement pour Golven, ses attaquants n'étaient pas assez nombreux pour l'encercler. Il n'eut donc à subir leurs assauts que sur deux fronts. Le combat ne s'en révéla pas moins rude pour autant et le garçon crut sa dernière heure venue quand un grand gaillard le saisit par derrière, malgré la vigilance d'Ertus. Le couteau du Moïs sur la gorge, il ne trouva rien d'autre à faire que hurler de peur.

L'homme noir fit volte-face et son expression se figea lorsqu'il vit son protégé menacé. Aucun des attaquants n'arborait les couleurs de celui qui les envoyait, il ne restait donc à Ertus qu'une certitude: le roi Paol n'avait pas pu, déjà, recevoir la nouvelle que son cousin voulait l'évincer du trône. À moins qu'un magicien très doué ne soit à son service, aucun messager n'aurait pu faire l'aller-retour entre Mont-Chaud et Unos en cinq jours, même par la mer. Le demi-dieu devait donc chercher ailleurs l'identité de leur ennemi... En souhaitant ne pas avoir affaire à des malandrins, des coupe-gorges sans vergogne qui assassineraient Golven en ignorant qui il était.

— Que voulez-vous? leur demanda-t-il.

Une fois le rouquin maîtrisé, les guerriers encore en état de marcher entourèrent celui qui l'avait capturé. Brandissant farouchement leurs longues épées noires, ils s'apprêtaient de toute évidence à s'en retourner d'où ils étaient venus, avec leur otage.

— Nous sommes ici uniquement pour ce freluquet, répondit l'un des Moïs d'une voix éraillée. Notre prince veut lui parler.

— Quel prince?

Aucun des attaquants ne daigna répondre et, à la grande stupeur de Golven, Ertus s'avoua vaincu. Il fit signe à tous leurs soldats de baisser leurs armes.

— Vous ne lui ferez pas de mal?

— Pas moi, non! ricana celui qui tenait le prince d'Arville serré contre lui. En tous cas, pas tout de suite!

— Ertus! Tu ne vas pas m'abandonner! cria Golven, les yeux exorbités.

Les soldats de Mont-Chaud se dévisagèrent, incertains et nerveux. Ils n'aimaient pas ce qu'ils voyaient, de toute évidence, mais aucun n'avait assez d'autorité sur les autres pour outrepasser celle d'Ertus. Et puisque celui-ci se tenait au milieu de la route les bras croisés, aussi stoïque qu'un rocher, la troupe de Golven laissa les Moïs s'éloigner en emportant leur otage. Personne ne bougea jusqu'à ce que le dernier des guerriers ennemis ait disparu au loin, sur la route menant à Château-Frontière. Alors le masque d'indifférence que l'homme noir avait plaqué sur ses traits tomba. Il se tourna vers les soldats démoralisés, dont un seul trouva le courage de lui reprocher sa décision. Incrédule,

Ertus comprit qu'aucun de ses hommes n'avait deviné sa ruse et il les invectiva:

— Vous n'avez pas beaucoup d'expérience, mais vraiment? Vous pensez que j'abandonnerais le prétendant? Même ces Moïs se sont sauvés au pas de course, persuadés que je bluffais et qu'il leur fallait se mettre en sécurité au plus vite!

Les soldats se dévisagèrent à nouveau, tout aussi mal à l'aise que devant les Moïs ennemis. Ertus soupira de découragement et examina attentivement les hommes de Mont-Chaud. Il finit par en sélectionner trois, qu'il amena à l'écart pour leur demander à chacun:

— Que penses-tu de la magie?

La méfiance teintée de haine que vouaient les gens du Levant aux magiciens ne trouvait pas d'échos au Couchant. Ici, certains nobles engageaient magiciens et magiciennes pour servir leurs intérêts tandis que plusieurs villageois faisaient appel à eux, plutôt qu'aux prêtres d'Occus, pour soigner leurs blessés. Puisque les trois soldats s'entendaient pour trouver la magie utile, Ertus les emmena avec lui à la poursuite de Golven. Même s'ils connaissaient maintenant la stratégie de l'homme noir, ils ne l'en appréciaient pas pour autant. Abandonner l'héritier du trône à qui ils venaient à peine de jurer leur loyauté, c'était trop risqué à leur goût.

— On aurait pu gagner contre eux, protesta l'un des trois. Vous avez vu combien de blessés ils ont dû traîner dans leur fuite?

— Ces imbéciles auraient pu estropier le prince d'Arville sérieusement, répondit Ertus en grimpant sur son coursier noir. De plus, j'aime bien connaître le visage de mes ennemis. Les guerriers en fuite me mèneront à leur «prince» et, alors, nous règlerons nos comptes.

Les autres guerriers reçurent l'ordre de poursuivre leur route vers Château-Frontière, où Ertus, Golven et leurs trois compagnons les rejoindraient dès le lendemain. À un chevalier qui demandait que faire dans le cas contraire, l'homme noir adressa un regard méprisant.

— Demain, tout sera rentré dans l'ordre, répéta-t-il.

Le quatuor partit au grand galop, sous le regard dubitatif des quatre-vingt-dix-sept autres hommes de Mont-Chaud.

* * *

Golven fut amené dans un village, à peine plus grand que ceux qu'il avait traversés jusqu'à maintenant. Là, on le fit entrer dans une tour ronde fortifiée, que les soldats appelèrent le château du prince LeBel, et on lui annonça que celui-ci le recevrait dans la salle du trône.

Dès lors, le prince d'Arville sut pourquoi son «hôte» désirait le rencontrer. Quand il se retrouva devant lui, son intuition se confirma: le prince LeBel n'était rien d'autre qu'un parvenu. Peut-être était-il un ancien chevalier... En tous cas, il était assez imbu de sa personne pour s'inventer un titre de noblesse farfelu. Pour être le prince d'une région telle que le Mô, il lui aurait fallu jouir de plus de richesses et d'influence qu'il n'en possédait, de toute évidence. Et du reste, le Mô avait déjà son prince, à Sartii...

Le prince LeBel se tenait sur un trône de bois sculpté qui devait valoir, dans les prairies presque dénuées d'arbres, une petite fortune. D'une voix rauque, en parsemant son discours de jurons, il annonça à Golven qu'il avait le pouvoir de le faire exécuter séance tenante si celui-ci refusait de négocier.

— D'après vos manières, je dirais plutôt que vous donnerez l'ordre à vos sbires de me tuer si je ne me plie pas à vos conditions!

L'ironie de Golven parut toucher une corde sensible, car LeBel releva le menton et s'éclaircit la gorge. Pianotant de ses doigts garnis de bagues sur les accoudoirs de son trône, il se présenta enfin décemment: Elruk, fils d'Eketar, prince de toutes les terres entre Mont-Chaud et Château-Frontière. Puis il nomma quelques-uns de ses plus fidèles guerriers, ainsi que ses deux épouses et ses trois fils. C'était sans doute la limite de ses connaissances en matière de politesse, car il ne desserra pas les liens de son prisonnier. Il ne l'invita pas non plus à s'asseoir, ni à se restaurer. Elruk désirait intimider Golven, de toute évidence, cependant le jeune prince ne fut guère impressionné. Puisqu'Ertus semblait l'avoir abandonné, la mort lui paraissait une conclusion logique à sa présente situation. Celle-ci ressemblait beaucoup à celle qu'il avait vécue en Urania, avant que le maréchal Salgon ne le sauve de la pendaison. À la différence, toutefois, qu'il avait maintenant tenu sa promesse envers le créateur: il avait au moins essayé d'améliorer le sort des Eghans. Ce n'était qu'une maigre consolation, néanmoins il s'y accrochait pour ne pas céder au désespoir.

— Ce qui vous tracasse, je crois, c'est mon serment de faire le ménage parmi les nobles en Eghantik, lança-t-il crânement avec un sourire. Qui donc vous en a parlé? L'un des frères du Mont? Ça m'étonnerait... Quoi qu'il en soit, si mes paroles vous ont déplu, c'est que vous êtes l'un de ces soldats persuadés qu'une tour de garde fortifiée peut s'appeler un château!

Elruk LeBel paraissait tout disposé à oublier ses rudiments de politesse à la première provocation de Golven. Il sortit brusquement de ses gonds et se leva de son trône pour invectiver son prisonnier. Il l'accusa d'avoir pour seul but de voler le brave peuple d'Eghantik et de vouloir payer sa guerre avec les écus des nobliaux trop faibles pour se défendre.

— Votre fortune ne sera pas touchée, Elruk, le corrigea Golven calmement. Je vais cependant vous enlever les pouvoirs que vous avez usurpés en vous proclamant prince. C'est la pagaille, dans le royaume, et c'est cela qui coûte cher aux Eghans!

Hors de lui, Elruk franchit les quelques pas qui le séparaient du prince d'Arville et lui flanqua un solide coup de poing dans l'estomac. Le rouquin en perdit le souffle et tomba à genoux à terre, les larmes aux yeux.

— Penses-tu que parce que ton père et tous tes aïeux étaient des princes, tu saurais mieux gouverner que des *parvenus* comme moi? Tu ne changeras rien au pouvoir que j'ai gagné à la pointe de l'épée, petit imbécile imberbe! Tu vas moisir dans mon donjon, même si tu le trouves indigne de toi!

Golven aurait bien aimé trouver quelque chose à répliquer, mais l'inspiration lui manqua. Incapable de réagir, il se laissa emporter vers le cachot, non sans se demander pourquoi Ertus l'avait abandonné ici, aux mains d'un homme aussi violent que cet Elruk.

L'homme noir intervint à ce moment exact. Bien dissimulés dans une bulle magique d'invisibilité, ses complices et lui s'introduisirent dans la demeure d'Elruk et ligotèrent tous les soldats qu'ils trouvèrent endormis. Ils allumèrent ensuite des feux en plusieurs endroits et, pour finir, les quatre hommes interceptèrent les gardes de LeBel avant qu'ils n'enferment Golven. Celui-ci ne put cacher son soulagement à la vue de son mentor:

— Pardon d'avoir douté de toi...

— Plus tard! trancha l'homme noir en libérant le jeune homme. Il est temps de donner une leçon à ce félon de LeBel.

Devant l'entrée principale de la tour ronde, Ertus brandit dans chacune de ses mains une torche allumée. Il annonça d'une voix forte la condamnation d'Elruk LeBel pour avoir menacé le prétendant au trône d'Eghantik. Déjà, les brasiers allumés plus tôt avaient commencé à semer le désordre. Elruk sortit de chez lui, vêtu uniquement de sa chemise, plus furieux que jamais. Il se retrouva face à face avec l'homme noir et Golven.

— Attrapez-les! cria-t-il.

Le prince LeBel leva le poing, cherchant des yeux ses gardes fidèles, et parut dérouté que les abords de sa demeure fussent aussi déserts.

— Brûle! répliqua Ertus en levant ses torches bien haut, au-dessus de sa tête.

Les feux dispersés dans le château augmentèrent soudainement d'intensité et montèrent à l'assaut des murs de la tour. Des cris d'horreur fusèrent de partout et Elruk sembla se souvenir brusquement de tous les biens entassés dans sa demeure. Oubliant le prince Golven, il se précipita à l'intérieur afin de sauver ce qui pouvait l'être. Ertus put donc calmement recréer sa bulle d'invisibilité et le petit groupe disparut aux yeux des Moïs effrayés.

— J'avoue que tout ceci n'est pas ordinaire! souffla l'homme noir quand ils furent enfin à bonne distance du village. Tu es à peine connu au Couchant, le roi Paol à Unos n'a pas encore entendu parler de toi et, déjà, on en veut à ta vie! Notre voyage risque d'être plus mouvementé que je ne l'imaginais.

— Quant à moi, soupira Golven, je me demande pourquoi le créateur m'a réservé ce destin guerrier. Il me semble que j'aurais pu avoir une carrière de ménestrel, aux côtés d'Aziliz...

3

Départ pour Unos

Il y avait du ragoût de tamalïe, ce soir-là, au châtelet d'Arville. Le prince Udelin de Sinti, venu visiter sa fiancée, dame Marivone, avait apporté en plus suffisamment de légumes pour que la vieille servante d'Arville prépare un potage. Le repas avait donc vite pris des allures de fête... Surtout parce que le vieux prince n'avait pas emmené sa fille, complètement folle, avec lui. Quand Moeti se trouvait à table, à s'empiffrer comme un animal affamé, nul ne pouvait réellement se détendre et bavarder. Mais à présent que la princesse de Sinti avait trouvé une amie, en la personne de la ménestrelle Aziliz, Udelin ne se sentait plus obligé de la trimbaler partout avec lui.

C'était la quatrième visite du prince de Sinti à Arville. Coricess avait d'abord méprisé son futur beau-père, pour l'unique raison qu'il épousait sa mère, mais, à sa grande surprise, elle avait découvert en lui un homme d'agréable compagnie et de bon conseil. Tout le contraire de son propre père, feu le prince Volrad d'Arville, qui s'était fait assez d'ennemis pendant sa vie pour finir assassiné un soir de beuverie. Même le jeune prince Zander, qui avait pourtant beaucoup pleuré en apprenant que sa mère se remariait, se laissait gagner du haut de ses dix ans par le charme tranquille de l'homme. Dame Marivone répétait sans cesse qu'elle aurait aimé avoir son fils aîné à ses côtés, pour partager son bonheur. Mais, puisque Golven était parti courtiser les nobles du Couchant, il ne serait sans doute même pas de retour au Plasek pour les noces de sa mère. Malgré ce détail navrant, la flamboyante châtelaine se déclarait satisfaite de la tournure que prenait sa vie.

Le repas tirait à sa fin quand la vieille servante fit entrer dans la grande salle aux trois foyers un homme costaud, les vêtements défraîchis et les cheveux emmêlés. Marivone se fâcha: les soirs de fête n'étaient pas assez fréquents, au châtelet, pour gâcher celui-ci avec la visite d'un mendiant. Il y en avait tant qui venaient frapper à la porte d'Arville, alors que ses habitants possédaient eux-mêmes à peine de quoi se nourrir convenablement! Mais le nouveau venu annonça qu'il arrivait du Mô, la région voisine du Plasek, porteur de nouvelles concernant le prince Golven. Dame Marivone se radoucit alors et offrit du vin au messager en s'excusant.

— Comment va mon frère? demanda Coricess avec fougue, sitôt que l'homme eut trempé ses lèvres dans le vin frais.

— Très bien. Le prince est passé par Mont-Chaud, où Panas du Mont l'a reçu amicalement. Cent hommes ont quitté le volcan avec votre frère en direction de Château-Frontière, où Drulis de Mô devrait lui accorder son soutien.

— Vraiment? C'est de bon augure pour la suite du voyage, jugea Marivone en hochant la tête.

— En tous cas, le prince Golven a trouvé un allié très fort en la personne de Panas du Mont. Celui-ci est bien décidé à l'aider à reprendre ce qui lui revient de droit.

— Merveilleux! Le roi Paol n'aura donc d'autre choix que d'abandonner le trône à mon frère!

Avec enthousiasme, Coricess attrapa les mains du jeune Zander et l'entraîna dans une ronde endiablée autour de la table, malgré le regard désapprobateur de sa mère. À seize ans, Coricess avait passé l'âge de réagir aussi puérilement — du moins, de l'avis de dame Marivone. Mais la jeune fille avait toujours montré un tempérament explosif et, ce soir, elle se réjouissait bruyamment des bonnes nouvelles apportées par le messager de son frère. Cependant, le prince Udelin mit un frein à sa joie:

— Ça m'étonnerait qu'un roi, même couronné par erreur, abandonne son trône sans y être obligé par la force, objecta-t-il de sa voix grave et calme.

— Par la force? répéta Coricess avec horreur. Vous voulez dire... La guerre? Le grand Ertus en a parlé, c'est vrai, mais il n'y aura pas de guerre si tous les princes du royaume se joignent à mon frère! Non?

— En général, les litiges concernant la succession des rois en viennent tous là, soupira le vieux prince. Rappelez-vous l'histoire de votre famille, princesse: lorsque le bon roi Acolyn est mort, son fils bâtard s'est cru justifié de prendre les armes contre Paktri-Raa, pourtant l'héritier légitime, né de la déesse-lune Danitza!

Coricess connaissait bien ses ancêtres, sa mère y avait veillé. Elle songea alors à toutes les guerres que l'Eghantik avait connues, à ces héros dont on chantait encore les exploits... Mais qui étaient tout de même morts au combat. Elle ne voulait pas que les gens ne se souviennent de son frère que comme d'un prétendant au trône ayant péri d'une flèche en plein cœur au milieu de la mêlée...

— Il doit y avoir un moyen d'empêcher la guerre! s'exclama-t-elle d'une voix tragique qui résonna dans la grande salle et imposa le silence.

— Bien sûr, finit par répondre le prince Udelin. Allez à Unos, jeune fille, et assassinez le roi. Puisque Paol n'a pas d'enfant, Golven est son plus proche héritier. Il prendrait donc la place qui lui revient sans avoir à combattre qui que ce soit.

C'était une façon froide et logique d'envisager les choses. Coricess ne s'imaginait cependant pas du tout dans la peau d'un assassin. D'autant moins, à vrai dire, que pour sauver la vie de son frère, elle devrait sacrifier la sienne; princesse ou pas, on lui trancherait la tête pour son crime. Toutefois, l'idée d'aller à Unos ne lui parut pas mauvaise. L'époque du roi Acolyn étant révolue depuis belle lurette, il devait exister un moyen de négocier entre gens civilisés et raisonnables. Même le roi Paol devrait reconnaître qu'une guerre ne profiterait à personne. Ce fut donc dans cette perspective optimiste que la princesse d'Arville prit sa décision. Une décision qui ne plut pas à sa mère:

— Aller à Unos? Mais qu'ont donc tous mes enfants à vouloir se rendre à Unos! Tu as vu où un tel voyage a mené ton frère: il s'est fait voler, sitôt sorti de la chaîne des Salahs et, ensuite, il a failli se faire pendre parce qu'on l'a confondu avec un voleur!

Coricess haussa les épaules. Golven n'avait pas voulu dire la vérité sur ses mésaventures à sa mère, mais il n'avait pas hésité à tout raconter à sa sœur. S'il était passé si près de la pendaison, c'était qu'il l'avait de nombreuses fois méritée! Il n'aurait cependant pas été très bon, pour la réputation du futur roi d'Eghantik, que cette histoire s'ébruite. Aussi la jeune fille préféra-t-elle ne blâmer son frère que d'un manque de préparation.

— On ne part pas pour un tel voyage sur un coup de tête, argumenta-t-elle d'un ton sage qui ne lui était pas coutumier.

Au grand désarroi de dame Marivone, Udelin de Sinti donna raison à Coricess. L'idée de sa future belle-fille lui semblait un brin irréaliste, mais elle valait sans doute la peine d'être tentée. De plus, il fit valoir à sa fiancée qu'il serait très profitable au clan du prétendant d'avoir quelqu'un dans la capitale pour glaner des informations et les transmettre à Golven.

— Ma fille ne servira pas d'espion! se récria à nouveau Marivone.

— Pas elle, non, temporisa Udelin en saisissant tendrement les mains de sa fiancée. Mon neveu, Fosco de Sinti, jouera ce rôle. Officiellement, il sera chargé d'escorter la cousine du roi jusqu'à Unos. Mais une fois là-bas...

— Un homme! protesta encore Marivone, avec moins de conviction. Ce n'est pas séant.

— Fosco est irréprochable. Mais puisque vous m'y faites penser, il ferait un bon parti pour votre fille, mon tendre cœur...

À la connaissance de Coricess, c'était la première fois que quelqu'un envisageait de la marier. Elle qui se désespérait de n'avoir même jamais été à un bal, elle coula un regard plein d'espoir vers sa mère. Mais la châtelaine d'Arville ne manquait pas d'ambition. Son mariage avec un prince royal, alors qu'elle n'était que la fille d'un vague seigneur de campagne, le prouvait. Elle refusa net d'envisager Fosco de Sinti comme mari pour Coricess.

— Ma fille sera bientôt la sœur du roi d'Eghantik, trancha-t-elle. Nous la marierons en fonction des alliances qui seront souhaitables pour Golven.

La jeune fille soupira, désappointée. Elle n'était donc pas à la veille de se marier! Néanmoins, sa mère n'avait pas fini:

— J'admets cependant que ce voyage vers Unos pourrait nous être profitable. Coricess rencontrera là-bas des princes influents qui, éblouis par sa beauté, pourraient se rallier à

Golven avec la promesse d'obtenir sa sœur en mariage...

Coricess fit la moue. Elle ne possédait aucun des atouts de la beauté et ne l'ignorait point. Il n'y avait plus de miroir depuis longtemps, dans le châtelet d'Arville: tout ce qui n'était pas absolument essentiel à la vie quotidienne avait été vendu, pour couvrir les coûts des réparations dont les bâtiments du châtelet avaient eu besoin, ou encore pour acheter des chandelles, ou du tissu... Mais l'eau calme de la marre aux canards, tôt le matin, était assez limpide pour que la jeune princesse s'y mire et constate qu'elle n'avait malheureusement pas hérité des traits de sa mère; les yeux de Marivone, d'un vert lumineux, et ses épais cheveux roux faisaient se retourner toutes les têtes sur son passage. Les yeux de Coricess, bien qu'indubitablement verts, tendaient plutôt vers le brun et ses cheveux châtains semblaient fades en comparaison des boucles de Marivone. Elle s'efforçait en vain d'imiter la démarche gracieuse et féminine de sa mère, ses vieilles houppelandes rapiécées ne l'avantageaient pas... La jeune fille ne se faisait pas d'illusion: rien en elle ne séduirait un riche prince du Levant.

— Tu passeras par Valvert, Coricess. Ton père avait là-bas un cousin nommé Tazus, dont l'épouse t'instruira sûrement avec plaisir dans les usages de la cour. Je lui enverrai un mot lui demandant aussi de te fournir quelques bliauds élégants, à la mode de l'Urania, pour que tu n'aies pas l'air d'une rustre paysanne.

Marivone, une fois lancée, oublia complètement qu'elle avait d'abord été contre ce voyage. Elle décida qu'il fallait une véritable escorte à sa fille, du moins à partir de Valvert, ainsi qu'une dame de compagnie qui pourrait très bien aussi jouer la servante. En consultant parfois le prince de Sinti, la châtelaine régla tous les détails domestiques de cette aventure et Coricess, assise sagement à ses côtés, cligna plusieurs fois des yeux, ébahie par la tournure que prenaient les événements. Ce qu'elle avait énoncé comme un vague projet, qu'elle n'aurait mis en branle qu'après plusieurs jours de réflexion, se concrétisait déjà, plus vite qu'elle ne l'aurait jamais cru possible! C'en était étourdissant. Elle qui avait pensé se rendre dans la capitale pour discuter avec le roi Paol et le convaincre d'éviter la guerre, elle se voyait chargée d'un rôle d'une tout autre importance. À présent, elle servirait de couverture à un espion, elle chercherait des alliés pour son frère et elle aurait peut-être même l'occasion de se trouver un mari! La banale galette de fruits que la vieille cuisinière apporta pour le dessert sembla tout à coup sublime à la jeune princesse comblée.

4
Rencontre à Sartii

— Ce n'est pas pour me plaindre, bougonna Golven en avalant toute l'eau de sa gourde, mais nous aurions pu visiter le Mô en hiver! Mon cousin fait des bêtises à Unos depuis dix ans, une saison de plus ou de moins...

Ertus ne se donna pas la peine de répondre. Lui-même avait rarement eu aussi chaud, néanmoins il savait se montrer stoïque, au contraire de son protégé. De plus, le guide que leur avait aimablement fourni le marquis Drulis, à Château-Frontière, l'avait assuré que s'ils gardaient la même cadence, ils dîneraient au bord d'un lac cet après-midi-là, juste avant d'arriver à Sartii.

— Nous prendrons le temps de nous y rafraîchir un bon moment, décida l'homme noir pour rasséréner Golven. As-tu déjà eu l'occasion de nager dans un lac?

Il n'y avait guère que des rivières, au pied des montagnes du Plasek où le prince avait grandi. Lors de quelques expéditions dans les hauteurs, il avait pu contempler de vastes étendues d'eau cristallines, mais si glacées que l'idée d'y faire trempette ne lui serait pas venue à l'esprit. Les lacs du Mô ne ressemblaient en rien à ceux du Plasek. Tièdes en été, moins profonds que ceux des montagnes et souvent boueux, ils abritaient en plus des variétés de poissons que Golven n'avait jamais goûtées. Après avoir pêché, à la façon des Moïs, dans l'ombre des branches pleureuses d'un grand arbre, le jeune prince se prélassa un instant dans l'eau avant d'être rappelé sur la berge par son mentor.

— Oh, pas déjà? se plaignit-il, sans conviction.

Le soleil et l'eau l'avaient rendu indolent. Cependant, il ne se fit pas prier longtemps et se sécha sous l'œil critique d'Ertus.

— Tes cheveux me posent un problème, soupira celui-ci en contemplant la tignasse ébouriffée de Golven. Ou bien nous les coupons, et tu auras l'air d'un guerrier... Je crains, hélas, que cela ne te rajeunisse trop! Ou bien nous les laissons pousser afin que tu gagnes en noblesse. Mais en attendant...

Ertus haussa les épaules, se concentra un court instant sur la crystale bleue de sa bague et la magie allongea les mèches rebelles de Golven jusqu'à ses épaules. Le jeune homme se jugea enchanté du résultat lorsque Ertus lui tendit un miroir garni de pierres précieuses, mais il devint hésitant quand il tenta de se coiffer et que ses doigts ne rencontrèrent que du vide.

— C'est une illusion! s'esclaffa le magicien devant les vains efforts du jeune prince pour saisir le bout de ses cheveux.

Du coup, Golven examina plus attentivement les pierres qui ornaient la glace d'un œil nouveau. Il ne fut qu'à moitié surpris de découvrir que cet innocent miroir était entouré d'une douzaine de crystales blanches — ce qui devait en faire un objet très puissant. Se demandant quelle utilité son mentor pouvait trouver à transporter autant d'objets magiques dans ses bagages, alors que sa bague bleue paraissait lui permettre à elle seule d'accomplir tous les prodiges, le jeune prince lui rendit son miroir avec une moue dubitative.

— Pourquoi te soucier, tout à coup, de la longueur de mes cheveux? demanda-t-il. Et pourquoi ne pas les allonger *pour de vrai*?

— Je pourrai parfaire mon illusion, expliqua Ertus, mais pas tout de suite. Au château de Sartii, j'aurai besoin de toute ma concentration et de mon énergie. Cela fera quand même l'affaire, pour l'instant. Je te conseille d'ailleurs de soigner ta tenue et ton maintien.

Dès que le jeune homme approcha de l'imposante forteresse de Sartii, il se félicita d'avoir suivi les recommandations d'Ertus. Une véritable haie humaine avait été placée de part et d'autre du chemin, formée de paysans, de bourgeois, de chevaliers et d'artisans... En fait, tous les gens des environs semblaient s'être réunis devant les énormes portes ouvertes pour accueillir le prétendant au trône. Sous les vivats de la foule et les pétales de fleurs qu'on lui lançait, un Golven rougissant avança jusqu'au centre de la large enceinte intérieure de Sartii où la princesse Doreïn l'attendait.

— Mes hommages, prince d'Arville, dit-elle gracieusement dès que les acclamations cessèrent.

Elle se leva de son siège et marcha à la rencontre du prétendant au trône en faisant froufrouter ses jupes colorées. Golven, la regardant venir, rougit davantage encore. La dernière chose à quoi il s'était attendu était bien de se voir accueilli comme un roi, mais, à en juger par son air satisfait, Ertus, au moins, avait prévu cet accueil et paraissait l'apprécier. Maladroitement, le rouquin saisit la main de la princesse et y déposa un baiser. Doreïn sourit, enjôlant Golven par la chaleur de son regard, et lui souhaita la bienvenue chez elle.

— Une fête sera donnée en votre honneur, ce soir, ajouta-t-elle. Mais auparavant, voudriez-vous m'accorder le plaisir de votre compagnie et visiter mon château? Hélas, mon époux est souffrant et doit garder le lit... Cependant, je crois que je saurai répondre à toutes vos questions.

Golven haussa les sourcils, déçu. Il fut d'ailleurs le premier surpris de cette déception: certes, Doreïn était jolie et gracieuse, à peu près du même âge que lui, mais il lui était difficile d'admettre que la princesse des Champs l'attirait au point que les dards de la jalousie le piquent à l'idée qu'elle soit déjà mariée. Il allait refuser sa proposition, en prétextant la fatigue du voyage, mais Ertus le prit de vitesse:

— Quelle prévenance de votre part, princesse! se réjouit-il en s'approchant du duo. Le prince Golven est très curieux de découvrir comment les gens vivent, à l'Été du Plasek.

Doreïn jeta un coup d'œil intrigué à la silhouette du magicien, tout de noir vêtu, et celui-ci s'empressa de se présenter avec une courbette:

— Je suis impardonnable, où sont donc mes manières! On m'appelle maître Ertus, je suis magicien et conseiller du prétendant au trône.

C'était la première fois que son mentor se présentait ouvertement comme un magicien.

Golven grimaça, s'attendant à voir la princesse des Champs crier de détresse avant de les expulser sans délais hors des murs de Sartii... Cependant, elle ne fit rien de tel. Au contraire, son sourire s'élargit et le prince comprit qu'il s'était inquiété en vain. Il aurait pourtant dû savoir que son mentor ne faisait rien au hasard.

— On m'en avait prévenue, ajouta Doreïn en hochant la tête. Vous savez, une magicienne de grand Talent réside ici, au château, et elle attend votre visite avec impatience, maître Ertus.

L'homme noir ne parut pas surpris de cela non plus et Golven se demanda de quelles informations son conseiller avait bénéficié avant de l'amener ici. Sûrement des renseignements très précis, car Ertus ne demanda même pas qu'on le conduise jusqu'à la magicienne; il s'excusa auprès de Doreïn et de son protégé avant de s'éloigner vers le corps de logis.

— Nous pourrions commencer la visite par les écuries? proposa Doreïn. Je crois que votre coursier a bien besoin d'être pansé.

Les coursiers du Mô étaient réputés dans tout le royaume et les écuries de Sartii en abritaient de superbes, que Doreïn connaissait tous par leur nom. Golven, qui s'y connaissait assez en bêtes rétives, fut charmé par le calme des montures de la princesse des Champs. Ils passèrent un long moment à les admirer, avant de poursuivre la visite avec l'atelier du forgeron. Là, le prince d'Arville put découvrir les merveilleuses épées que le gigantesque forgeron de Sartii avait fabriquées. Il ne se priva pas de le complimenter sur son travail avec enthousiasme, et rougit lorsque l'homme lui offrit d'en choisir une en cadeau — ce qui parut amuser Doreïn.

Au bout du compte, la visite de la forteresse enchanta le jeune homme. La princesse des Champs était d'agréable compagnie et même la jeune fille pétillante qui les suivait partout — sans doute le chaperon de la princesse — sut l'égayer par son humour. Sartii ne ressemblait en rien à Arville. Le châtelet de Volrad n'avait jamais été bien géré, au contraire de la forteresse moïse, qui semblait se trouver dans le même état impeccable qu'au moment de sa construction. Il n'y avait ici aucune brèche à déplorer dans les murs, les ouvriers ne manquaient pas, et si les gens trimaient dur du matin jusqu'au soir, ils n'en paraissaient pas moins assez satisfaits de leur sort.

— Ma famille possède ce château depuis des générations en plus de deux autres, plus petits, en bordure de la Karatian, expliqua Doreïn. De son vivant, mon père était aimé de tous, parce qu'il n'exigeait que des taxes raisonnables et se refusait à faire la guerre à qui que ce soit. J'essaie de suivre son exemple, bien entendu... Mais c'est de plus en plus difficile! Vous comprenez, mon père a tellement sabré dans les dépenses qu'il ne reste rien où je pourrais économiser mes écus. Les joutes de chevalerie ne passent plus par Sartii, il n'y a plus ni fêtes, ni festivals. Mon père a même vendu des terres à la comtesse de Kara pour éviter une guerre coûteuse!

— La comtesse de Kara? s'étonna poliment Golven, qui n'avait jamais entendu parler d'elle.

— Elle est riche et très puissante, c'est elle qui fait la loi sur les berges de la Karatian. Mais aucun qualificatif digne d'une dame ne me vient à l'esprit lorsque je pense à cette... comtesse. Et j'enrage de vivre ainsi! Éviter la guerre, c'est bien, personne n'a envie de perdre maris et fils sur le champ de bataille. Mais que devrai-je céder, la prochaine fois, pour acheter la paix? L'héritage de mes fils?

Devant la véhémence de Doreïn, Golven se souvint de sa propre rancœur à l'égard de son père. Il pensa à sa sœur, qu'il n'avait pas les moyens de doter, aux fêtes qu'il souhaitait donner pour que la joie revienne au châtelet d'Arville, ce châtelet qui tombait malheureusement en ruine, sans qu'il puisse y changer quoi que ce soit. Il y avait des centaines de châteaux, en Eghantik. Que l'un d'entre eux se transforme en tas de pierres à brève échéance n'avait guère d'importance, au fond, sauf pour lui. Il comprenait l'attachement de Doreïn pour les biens de sa famille, il comprenait sa colère, mais il ne sut que lui répondre puisque lui-même n'avait pas trouvé de solution pour préserver son propre héritage.

— Quand vous serez roi, jurez-moi que vous n'abandonnerez pas le Couchant comme le roi Paol l'a fait! Promettez-moi de redonner aux vieilles et nobles familles d'Eghantik leur juste part de pouvoir. Dites-moi que vous allez policer les trop nombreuses guerres entre nobles!

Cela, Golven pouvait le faire. Doreïn, sous des dehors calmes et dignes, brûlait d'une passion communicative et le jeune prince ne put que se laisser séduire. Il promit tout ce qu'elle lui demandait et fut comblé lorsqu'il la vit pleurer de joie.

— Je savais que vous étiez le roi dont nous avions besoin! s'exclama-t-elle, serrant ses mains dans les siennes sous le regard attendri de sa demoiselle de compagnie.

Golven aurait alors facilement pu oublier que la princesse des Champs était mariée. Il avait tremblé d'amour pour quelques jeunes filles, auparavant: des paysannes d'une beauté troublante, souvent plus âgées que lui. Cependant, il n'avait jamais éprouvé une si forte envie d'embrasser quelqu'un. Surtout pas une inconnue rencontrée le jour même! Mais, même s'il avait osé approcher ses lèvres de celles de Doreïn, la visite du château de Sartii se termina devant les appartements du prince des Champs et Golven se serait montré très insolent en étreignant son épouse à quelques pas de sa chambre! La princesse lui adressa un sourire qui aurait fait fondre un cœur de pierre et ouvrit doucement la porte de la chambre.

— Dimas voudra certainement vous donner lui-même son soutien, murmura-t-elle en jetant un coup d'œil à l'intérieur.

Mais le valet du prince s'interposa pour les empêcher d'entrer, un doigt sur les lèvres. Il leur expliqua que Dimas des Champs dormait profondément, après avoir bu la potion qu'Ertus lui avait concoctée, mais qu'il avait l'intention d'assister à la fête donnée ce soir en l'honneur de leur invité. Puis il referma la porte avec autorité.

— Eh bien! Vous rencontrerez mon époux plus tard! conclut Doreïn en haussant les épaules.

La jeune princesse ne devait jamais être désarçonnée très longtemps: elle entraîna son invité vers la grande salle pour lui montrer quelques trésors, légués par ses ancêtres héroïques. Golven ne découvrit donc pas avant le soir que la jeune Doreïn avait épousé un homme qui aurait pu être son père. Chauve, la peau rendue flasque par la maladie, Dimas des Champs ressemblait à un cadavre. En comparaison, la vivacité de son épouse n'en paraissait que plus séduisante. Il se tint assis sur une chaise à haut dossier toute la soirée, sans jamais se lever, et Golven se demanda plusieurs fois si le quinquagénaire n'était pas mourant. Quand le repas fut terminé, Dimas remercia Golven de sa visite d'une voix quasi inaudible et lui promit son appui dans la guerre qui s'annonçait. Sous les applaudissements des gens rassemblés pour la fête, il lui fit don de cent coursiers élancés, en plus de cent têtes de bétail pour nourrir son armée. Même Ertus ne put cacher sa surprise.

— En échange, je ne vous demande qu'une chose: une fois que vous serez roi, établissez votre capitale dans le Mô.

Cette promesse-là était bien difficile à faire. Golven, ne sachant que répondre, se tourna vers son mentor avec un air interrogateur. Celui-ci se contenta de lui rappeler que le roi Orazionut, jadis, n'avait pas hésité à déplacer la capitale du royaume de Ville-Royale à Unos. Rien n'empêchait donc Golven d'en faire autant.

— Le Mô est l'une des régions les plus vastes de l'Eghantik, insista Dimas des Champs. Et l'une des plus peuplées.

— De plus, il est temps que le pouvoir royal quitte le Levant, ajouta la princesse Doreïn, assise à la droite de son époux. Vous qui êtes du Plasek, vous le comprenez sûrement, Golven!

C'était un terrain glissant. Malgré son inexpérience, le jeune prince savait que sa réponse serait prise en note. Une fois roi, il resterait lié par sa promesse et, s'il s'avisait de manquer à sa parole, ses anciens alliés se dresseraient contre lui. Mais il demeurait conscient d'une chose: changer de roi ne serait pas facile, pour les gens du Levant. Leur faire admettre en plus que la capitale devait devenir une ville moïse serait une tâche héroïque pour le nouveau souverain! Or, Golven devait prendre le Levant en considération s'il voulait régner sur tout l'Eghantik.

— Non, je ne peux vous promettre cela dans l'immédiat, trancha finalement le rouquin. Panas du Mont m'a donné cent hommes parce que j'ai promis de faire le ménage parmi les parvenus. Vous me donneriez cent coursiers et un troupeau de bovins pour que la capitale du royaume soit voisine de Sartii. Que me demandera Ameril de Rivière-Lente, que je m'en vais rencontrer? Chacun de vos dons me liera un peu plus les mains et, à la fin, je ne pourrai être un meilleur roi que Paol!

— Il est rare de rencontrer un jeune homme aussi sage, marmonna le prince Dimas.

Le vieil homme admit que Golven invoquait de bons arguments. Il ne pouvait franchement lui en vouloir de se refuser à faire des promesses à tort et à travers. Les animaux lui furent donc tout de même donnés et la fête put reprendre dans l'allégresse. Le jeune prince en fut soulagé et heureux: il venait de remporter une première bataille diplomatique sous le regard approbateur de son mentor... Et la jolie Doreïn continua de lui sourire pendant toute la soirée. Elle ne le quitta d'ailleurs pas d'une semelle tant que la fête dura, dansant et trinquant avec lui, tandis que son époux, épuisé, s'en retourna à son lit. Les célébrations — que Golven avait attendues depuis le matin avec une impatience enfantine — passèrent à la vitesse de l'éclair et, bientôt, il ne resta de danseurs sous le ciel d'encre que la princesse des Champs et le prince d'Arville. Et quand celle-ci se laissa tomber sur une chaise, se déclarant trop épuisée pour continuer à danser, le jeune homme dut se résigner à gagner le vaste lit qu'il partageait avec Ertus. À son grand trouble cependant, il ne parvint pas à trouver le sommeil, malgré sa fatigue. Le charmant visage de Doreïn le hantait. Au bout d'un moment, las de chercher en vain une position propice au sommeil, Golven se leva, se rhabilla, et sortit de la chambre. Il croyait avoir été très silencieux, mais, en refermant la porte, il entendit Ertus marmonner:

— Surtout, ne te mets pas dans le pétrin.

Golven ne sut que répondre, aussi se contenta-t-il de refermer la porte, songeur, avant de se mettre à errer dans les corridors du château. Craignant de réveiller la maisonnée, il résolut de sortir et de poursuivre sa lente promenade à l'extérieur.

Sartii avait une tout autre allure la nuit, sous l'éclairage des croissants de lune. Était-ce l'effet de l'alcool ingurgité pendant la fête ou bien seulement de la fatigue? Golven se sentait triste. Amoureusement triste. À déambuler dans la large enceinte de la forteresse, il sentait le regard des gardes qui se posait parfois sur lui, mais il ne s'en préoccupait guère. C'étaient les yeux de Doreïn qu'il revoyait; sa main fine, sur le mur de pierre de la muraille, son petit nez plissé dans un éclat de rire, ses chaussures de cuir fin dévoilées par un coin de robe relevé... Et puis soudain, elle fut là, à quelques pas de lui, assise sur un banc dans le jardin derrière les cuisines. Un buisson touffu garni de fleurs blanches cachait Golven, celui-ci savoura le plaisir de contempler sa bien-aimée en secret. Mais elle finit par lever la tête vers lui et le remarqua tout de suite. Elle poussa une exclamation de surprise et se redressa vivement.

— Que faites-vous ici?

— Je n'arrivais pas à dormir, surtout après cette fête. Je n'avais pas autant dansé depuis des années!

— Ah? Moi non plus, je ne réussissais pas à dormir. On aurait dit que mes pensées ne voulaient pas arrêter de s'agiter dans ma tête.

Ils se dévisagèrent, de connivence dans leur insomnie. L'instant suivant, sans qu'aucun des deux sache vraiment comment ils en étaient arrivés là, ils se trouvaient dans les bras l'un de l'autre. Et Golven découvrait que la chevelure d'une jeune femme abritait des parfums enivrants, que sa taille pouvait être d'une souplesse insoupçonnée... Pourtant, il se retint de l'embrasser, se rappelant la mise en garde d'Ertus.

— Doreïn, qu'en dira ton époux?

— Il n'en saura rien! Après tout, la princesse des Champs ne se jetterait jamais dans tes bras en te demandant de l'étreindre. La princesse des Champs a trop d'honneur!

Il y avait tant d'amertume dans sa voix que Golven s'écarta.

— Non! Ne t'éloigne pas! souffla la jeune femme en s'accrochant à sa tunique. Disons que cette nuit, je suis Doreïn de Rien-du-Tout. Je t'attendais depuis si longtemps!

— Quant à moi, j'ignorais que tu pouvais exister, renchérit le prince d'Arville d'une voix rauque.

Ils se séparèrent tard et se levèrent tôt, désirant passer toute la journée du lendemain ensemble pendant qu'Ertus restait au chevet de Dimas. Ils devisèrent de banalités, mais l'Eghantik revint souvent dans leurs conversations. Ils découvrirent qu'ils aspiraient tous deux à remettre de l'ordre dans le royaume et qu'ils envisageaient les mêmes solutions. Ce que Golven avait toujours gardé pour lui, parce que ses idées ne formaient encore qu'un projet vague, se précisait et prenait forme lorsqu'il en discutait avec sa bien-aimée. Tout ce qu'il n'avait perçu, jusque-là, que comme un devoir à accomplir se transformait au contact de Doreïn en une passion exaltée. Mais enfin, la princesse évoqua la guerre, et le jeune homme se rembrunit.

— La guerre, oui. S'il y avait un moyen de l'éviter...

Il n'avait risqué sa vie qu'une fois, au nom des idées qu'il entendait défendre, mais l'occasion se présenterait de nouveau. Depuis sa pénible rencontre avec Elruk LeBel, Golven se demandait tous les jours si le jeu en valait la chandelle.

— Je n'ai que dix-sept ans, je n'ai rien fait de ma vie, encore, et je n'ai rien à perdre... Mais je ne veux pas mourir! Surtout pas maintenant que...

Il s'interrompit et Doreïn n'eut aucun mal à deviner sa pensée. Elle rit nerveusement. La nuit passée avait été un rêve, volé à la réalité. Aujourd'hui, ils étaient redevenus prince et princesse. Ils devaient se tenir à une coudée l'un de l'autre et ne plus se tutoyer. Même en dehors des murs du château, près des rochers où les lavandières faisaient leur lavage, il y avait toujours le chaperon de Doreïn pour les surveiller.

— Souvent, je me dis qu'il serait plus simple de me cacher dans les montagnes du Plasek, dans les Terres de Sable ou au creux de la forêt Rouge! Laisser l'Eghantik à Paol et la guerre à ceux que cela amuse.

— Vous cacher? Comme un paria?

— Changer de nom, pour m'établir quelque part avec une femme et des enfants. Et renoncer au trône. C'est ce que mon père a fait, autrefois. Alors pourquoi pas moi?

— Ne croyez-vous pas que j'y aie moi-même songé? s'exclama farouchement Doreïn.

Golven pensa qu'elle parlait d'eux et rougit à l'idée que la jolie princesse ait envisagé de s'enfuir avec lui. Mais il découvrit vite que ce n'était pas ce à quoi pensait Doreïn. Elle lui expliqua comment son père, ayant perdu ses deux fils aînés à la guerre alors qu'elle-même n'était qu'une enfant et se voyant condamné à brève échéance par une vilaine blessure qui ne guérissait pas, avait choisi de la marier à l'un de ses amis. Un homme sincère et loyal, qui prendrait soin de l'orpheline et saurait gérer ses biens, mais qui avait l'âge d'être son père. Le prince des Champs était décédé dans les jours suivant le mariage.

— Dimas est un homme bon, je n'ai pas à me plaindre de lui. Mais je rêve d'un homme moins prudent, qui penserait comme moi! De quelqu'un qui pourrait m'accompagner à la chasse, qui danserait avec moi, qui me donnerait des enfants!

Doreïn ne le regarda pas, les yeux fixés sur le ciel sans nuages, mais Golven rougit en l'entendant.

— Ne croyez-vous pas que j'aie eu des raisons pour m'enfuir? N'importe quel artisan serait un époux plus plaisant que Dimas! Mais je suis la dame de Sartii. Que deviendrait le monde si chacun se débarrassait si facilement de ses devoirs?

— Que deviendrait le monde si personne n'écoutait son cœur? murmura Golven, si bas que seule la princesse put l'entendre. Que chanteraient les troubadours?

Spontanément, Doreïn s'approcha de lui et posa sa paume contre sa joue rêche. Son regard noir se plongea dans le sien, elle jura à mi-voix qu'elle commanderait une chanson pour eux. Puis elle s'écarta et suggéra de rentrer au château. Ils ne se touchèrent plus jusqu'au lendemain, lorsque Golven lui baisa à nouveau la main avant de quitter Sartii.

— Félicitations, commenta Ertus quand il prit place aux côtés du rouquin à la tête de leur petite armée. J'ai craint un instant que vous ne causiez un drame, mais vous vous en êtes bien tiré.

— Pardon?

L'homme noir sourit sans rien ajouter et Golven se demanda s'il ne l'avait pas amené à Sartii dans l'unique but de lui faire rencontrer Doreïn des Champs, sachant qu'ils tomberaient amoureux l'un de l'autre. Le créateur offrait parfois au demi-dieu l'occasion de lire les pages du Livre du Destin, Ertus le lui avait expliqué. Occus lui avait peut-être permis de voir l'avenir de son protégé...

— Est-ce que je vais l'épouser, un jour?

— Elle est déjà mariée, non? répondit Ertus avec une moue ironique.

— Mais tu aurais pu... Je veux dire, en soignant le prince...

— J'aurais pu te faire de la place? C'est cela que tu voudrais?

Golven hésita. Dimas des Champs était un homme admirable, selon toutes les apparences, à qui il était impossible de souhaiter du mal. Il dut donc admettre que non, que jamais il ne serait heureux avec Doreïn après avoir commandé l'assassinat de son époux.

— Mais il est vieux, il est malade, et si Occus devait écrire un Destin pour me plaire...

Golven s'interrompit à nouveau. Dimas des Champs était malade, certes. Mais s'il venait à mourir dans un avenir rapproché, le jeune prince ne pourrait jamais avoir la conscience tranquille après avoir souhaité son décès. Il se demanderait sans cesse si le demi-dieu avec qui il voyageait avait intercédé en sa faveur auprès du créateur, s'il n'était pas indirectement responsable de la mort de Dimas... Et en ce moment, il avait bien d'autres sujets d'inquiétude sans laisser en plus ce genre de doute le harceler.

5
La fin de l'été

Trois jours après avoir quitté Valvert, au milieu d'une escorte digne de son rang et de malles dignes de la coquette Marivone, la princesse d'Arville regrettait déjà d'être partie. Le voyage vers Unos tournait au drame. Coricess, prostrée dans une tente hâtivement dressée en bordure des falaises de l'Urania, sanglotait désespérément. Elle sursauta avec un cri aigu quand Fosco de Sinti pénétra dans la tente. Le neveu du prince Udelin possédait la même assurance tranquille que son oncle, malgré ses dix-neuf ans, un calme qui le faisait paraître aussi solide qu'un roc à la jeune fille terrorisée. Elle se jeta dans ses bras.

La première fois qu'elle l'avait rencontré, à Château LaFlèche au début du voyage, elle l'avait trouvé beau, mais trop sérieux. Ensuite, quand la comtesse Kandile de Valvert lui avait présenté les joyeux chevaliers Erart et Jalel qui dirigeaient les hommes de son escorte, Fosco lui était apparu mortellement ennuyant, en comparaison. Elle avait mentalement béni sa mère de ne pas avoir voulu la donner en mariage au neveu de son beau-père et elle s'était efforcée de l'éviter. Fosco de Sinti prenait cependant son rôle à cœur: dame Marivone lui avait confié sa fille, il insistait pour demeurer à ses côtés en tous temps, dormant même dans la tente la plus près de la sienne... Même si Coricess ne se gênait pas pour lui reprocher son manque d'esprit, préférant de loin la compagnie de l'insouciant Jalel et de l'impétueux Erart.

Ce matin, cependant, après l'attaque surprise dont le petit groupe venait d'être victime, la jeune fille était heureuse que le jeune protecteur choisi par son beau-père ait joué les trouble-fête depuis leur départ de Valvert: Jalel et Erart maniaient indiscutablement bien l'épée, mais c'était la haute silhouette de Fosco qui lui avait servi de bouclier contre leurs ennemis.

— Comment vont-ils? demanda enfin Coricess en reniflant.

— Le chevalier Jalel s'en tirera très bien, répondit gravement Fosco de Sinti. Sa cotte de mailles l'a bien protégé, ses blessures se situent aux bras et aux jambes. Avec un peu de repos, il sera sur pied longtemps avant que nous n'arrivions à Unos.

La princesse d'Arville recula d'un pas et dévisagea Fosco. Il avait pris la peine de se laver le visage avant de se présenter devant elle, mais il lui restait des traces de sang, près du cuir chevelu, trahissant quelque blessure qu'il cachait sous un chapeau à plume. Un pansement emmitouflait sa main gauche et il prenait soin de ne pas faire porter son poids sur sa jambe droite... Lui-même ne s'était pas sorti tout à fait indemne de l'échauffourée, bien qu'il fût trop fier pour en parler.

— Et... Et les autres?

— L'une de vos servantes a succombé à ses blessures. Celle qui avait de longues tresses...

— Non, pas Omi!

— Deux hommes de Valvert ont aussi péri, en plus de...

Fosco se troubla et son regard fuit celui de Coricess. Dès lors, la jeune fille crut deviner l'horrible vérité.

— Erart? Ne me dites pas qu'il est gravement blessé?

— Non...

— Alors qu'est-ce qui se passe? Il n'est pas...

— Erart n'est pas blessé, princesse, il est mort.

— Je le savais, par Occus, je le savais! Tout ce sang qui coulait de son cou... Et ses yeux, ses yeux qui me regardaient comme s'ils voyaient à travers moi!

Coricess se remit à pleurer de plus belle, refusant cette fois le réconfort des bras de Fosco. Elle se jeta sur sa paillasse, au milieu des couvertures que personne n'avait eu l'occasion de déplier, et le jeune homme ne put que la regarder, impuissant et silencieux. Plus tard, il pourrait sans doute essayer de lui expliquer ce qui s'était passé. Mais pas ce matin, pas alors qu'elle portait encore son bliaud bleu taché du sang de ceux qui l'avaient protégée.

— Je suis désolé. Nous les mettrons en terre ce soir, au coucher du soleil, annonça simplement Fosco avant de quitter la tente de Coricess.

La cérémonie fut brève et émouvante. Les paroles rituelles furent prononcées au son triste des vagues qui se fracassaient contre les falaises. La princesse déposa elle-même dans les tombes les menus objets que les morts avaient utilisés pendant leur vie. Au moment de mettre une brosse en or près des mains d'Omi, les larmes lui vinrent aux yeux. Elle avait surpris une conversation, entre le chevalier Jalel et Fosco; ils disaient que si la petite servante avait été tuée, c'était sans doute parce qu'elle ressemblait à sa maîtresse et que leurs attaquants l'avaient confondue avec elle... Enfin, lorsqu'elle mit les dés à jouer dans la tombe d'Erart, elle ne put se retenir davantage et elle se remit à sangloter, bien qu'elle se fût juré de ne plus pleurer. Elle ne réussit pas à articuler le moindre mot d'une prière et se réfugia à nouveau dans les bras de Fosco. L'idée que sa mère aurait réprouvé ce geste, puisque Fosco de Sinti ne faisait pas vraiment partie de sa famille, lui traversa l'esprit. Elle éclata d'un rire hystérique qui fit se tourner tous les regards vers elle. Les corps des défunts furent couverts de terre et de pierres, puis Fosco, les mâchoires serrées comme si lui-même avait du mal à retenir ses larmes, donna l'ordre que les cadavres de leurs ennemis soient simplement jetés à la mer, du haut des falaises. Même si deux fois plus d'ennemis que d'amis étaient tombés au combat, ce ne fut un réconfort pour personne d'assister à ce spectacle vengeur. Chacun rentra dans sa tente avant la nuit noire.

Dès le lendemain, l'escorte de la princesse d'Arville reprit la route d'Unos, méfiante. Nul n'entonna plus les chants de voyage qui les avaient accompagnés jusque-là et, quand une caravane de marchands uranians les rattrapa, Fosco se garda bien de leur offrir de les accompagner.

Quatre jours plus tard, des guerriers expérimentés et bien préparés tentèrent à nouveau d'assassiner la princesse Coricess. Encore une fois, ses compagnons la défendirent avec bravoure... Ce qui n'empêcha pas que trois autres de leurs gardes périssent sous les coups de l'ennemi. Mus par le désespoir, les six survivants de l'escorte de Valvert s'enfuirent vers l'intérieur des terres. Ce n'était pas une conduite honorable, ni de la part d'un chevalier tel que Jalel, ni d'un homme aussi fier que Fosco. Ils le déplorèrent. Mais, dans les circonstances, blessés tous les deux, ils convinrent vite qu'il leur était impossible de protéger Coricess. La nuit tombait, d'épais nuages masquaient les deux lunes, ils réussirent à semer leurs poursuivants en suivant le cours d'une petite rivière, au milieu d'un bosquet. Quand ils sortirent du couvert des arbres, une tour de garde fortifiée se dressait devant eux. Le pont-levis était encore baissé, les fuyards traversèrent les douves au galop et demandèrent asile aux soldats. Le jeune capitaine qui commandait accepta de fermer les portes du mur d'enceinte, mais il s'en tint là:

— Mon seigneur est rentré aujourd'hui de voyage, il prendra lui-même la décision de vous héberger ou non.

Évidemment, lorsque Coricess se présenta devant Todule de Pouzole, celui-ci ne put lui refuser l'hospitalité. Sa demeure étant minuscule, tous les habitants dormaient dans la grande salle du donjon et l'escorte de la princesse devrait se contenter d'un coin près du feu. Mais vu le rang de sa visiteuse en détresse, le seigneur insista pour lui céder sa chambre et son lit, au deuxième étage. Il manda même auprès d'elle son scribe, afin qu'elle lui dicte le message qu'elle entendait faire parvenir à sa mère, et promit que son plus rapide messager se chargerait de la missive.

Le lendemain, au repas du soir, Todule chargea ses ménestrels d'égayer Coricess. Il la fit asseoir à sa droite, à la place qu'aurait occupée son épouse s'il avait été marié, et la jeune fille en rougit de bonheur. Se rappelant les conseils de sa mère, elle passa la soirée à minauder maladroitement, évoquant son frère et le trône d'Eghantik qui lui revenait de droit, les alliés dont Golven aurait certainement besoin au Levant... Todule ne lui confia pas ce qu'il pensait de cette guerre contre le roi Paol; par contre, il ne parut pas insensible aux charmes de la jeune fille — ce fut suffisant pour lui redonner espoir quant à ses chances de séduire les nobles du Levant, dans l'intérêt de Golven.

Lorsque le repas fut terminé et que les musiciens se retirèrent, seul Fosco de Sinti arborait encore un air bougon. Il aurait aimé reprendre le chemin d'Unos après une nuit de repos, mais Jalel le raisonna:

— Mieux vaut rester encore une journée, puisque le seigneur Todule nous offre de nous héberger. Cela fera du bien à la princesse: les deux attaques contre elle l'ont beaucoup éprouvée.

Jalel avait raison; cependant, il aurait mieux valu pour eux que la petite troupe quitte sans délai la tour de Pouzole. Le lendemain de la fête donnée en l'honneur de Coricess, quatre guerriers investirent la tour de garde et attaquèrent la jeune fille tandis qu'elle dormait dans la chambre de Todule. Ils y pénétrèrent en silence et auraient sûrement égorgé la princesse dans son sommeil si le chevalier Jalel n'était sorti de sous le lit en hurlant. Son cri alerta Fosco et les trois hommes de Valvert, près de qui il était couché; ils s'élancèrent dans l'escalier afin de porter secours à Coricess... Mais ils trouvèrent tous ses assaillants autour du lit, déjà morts. Fosco comprit immédiatement que Jalel s'était trouvé sur place au tout début de l'attaque.

— Qu'est-ce que vous faisiez ici, par les dents d'Occus? s'énerva-t-il.

— Je dors sous le lit de la princesse depuis notre arrivée.

Coricess rougit violemment, les draps remontés jusqu'à son menton, et Fosco faillit s'étrangler de fureur.

— C'est inconvenant! s'exclama-t-il.

— Si je ne l'avais pas fait, la princesse Coricess serait morte, cette nuit!

Fosco n'osa rien ajouter, car le chevalier avait raison. Mais il ne manqua pas de lui reprocher d'avoir tué les quatre hommes avant qu'il n'ait eu l'occasion de les interroger.

— J'aurais aimé apprendre qui les a envoyés, grommela-t-il.

— Pardon, mais je discute mal, une épée pointée sur mon cœur! répliqua Jalel, qui semblait furieux pour la première fois depuis que Coricess le connaissait.

— N'en parlons plus... Je suis de toute façon certain que c'étaient les hommes du roi...

— Impossible, c'est mon cousin! protesta Coricess.

Ce n'était pas la première fois que Fosco portait des accusations contre le roi Paol. Depuis la première attaque, au bord de la mer, il en parlait chaque jour. Au début, Coricess avait admis avec horreur qu'elle représentait pour le roi une menace presque aussi grande que Golven lui-même, car, si celui-ci venait à mourir, ce serait elle, l'héritière légitime... Comprenant enfin quelle situation délicate serait la sienne, à Unos, elle avait évoqué la possibilité de rebrousser chemin. Fosco, même malgré la mission d'espion qui le menait vers la capitale, l'aurait suivie sans arrière-pensée. Mais Jalel était intervenu pour rassurer la jeune fille. Il lui avait dit que jamais Paol ne la ferait assassiner à Unos. Un tel geste, contre une princesse sans défense, risquait trop de lui aliéner certains nobles puissants; il ne pouvait se le permettre.

— Je ne comprends plus, chevalier! Vous m'aviez dit que mon cousin préfèrerait me garder en vie?

— Cela vaudra lorsque nous serons à Unos, grommela Jalel.

— En attendant, si on vous assassine, Paol pourra toujours s'en laver les mains et rejeter les torts sur des bandits de grand chemin!

Peu habituée aux rouages de la politique, Coricess aurait certes aimé poser plus de questions à ses compagnons... Ce fut le moment que choisit Todule pour monter à sa chambre, accompagné d'une dizaine de soldats armés. La jeune fille lui jeta un regard ambivalent, charmée qu'il soit venu la sauver, lui aussi, mais désappointée qu'il y ait mis si longtemps. Fosco, quant à lui, était trop poli pour mentionner son retard à sauver une dame dans sa propre demeure. Il se contenta de lui demander quelques hommes, afin de grossir l'escorte décimée de la princesse d'Arville. Il n'avait plus l'intention d'attendre avant de poursuivre son voyage vers Unos.

— Vous n'irez nulle part, trancha cependant le seigneur de Pouzole. J'ai reçu l'ordre de vous garder ici.

— Qui vous donne des ordres? Le roi? s'insurgea Fosco. Par loyauté pour lui, vous acceptez de contrevenir à toutes les règles de l'hospitalité?

— J'ignore de qui viennent les ordres. Mais, pour trente tablettes d'or, je suis disposé à prêter serment de loyauté envers le dieu maléfique Abdor lui-même!

Les compagnons de la princesse n'étaient plus que six et ils se trouvaient nettement désavantagés face aux hommes de Todule. Malgré cela, ils engagèrent la lutte, ce qui permit à Fosco, à Jalel et à Coricess de s'esquiver du donjon. En revenant sur la route de la côte, ils trouvèrent leur charrette, renversée dans un fossé depuis leur fuite, mais presque intacte et encore pleine des quelques bagages qu'ils y avaient empilés. Ce coup de chance ne les rasséréna guère. N'osant plus se fier à la noblesse, c'est en se faisant passer pour de pauvres marchands qu'ils parvinrent en vue d'Unos, le premier jour de l'automne 1168.

Les abords de la ville étaient charmants, parés de toutes les couleurs de l'arc-en-ciel grâce aux nombreuses tentes qui ceignaient les murs de la ville. Avec en plus les deux châteaux qui surplombaient la mer, à l'intérieur des remparts, le tableau était grandiose. Mais Coricess y resta insensible; ici, dans la capitale du royaume, elle pensait trouver le responsable de la mort de ses compagnons. Était-ce le roi, était-ce l'un de ses proches? La jeune fille bouillait d'impatience à l'idée de découvrir son ennemi.

* * *

L'été se termina, pour Golven, le long des falaises de l'Audreal. Si loin au Soleil d'Été, il n'avait rencontré que des gens indifférents. Certains, comme Ramo de LaPointe, n'avaient jamais eu de contact avec les rois d'Eghantik et n'en désiraient pas. Même les arguments du grand Ertus, leur faisant valoir les avantages d'un royaume plus uni, n'avaient pas su les convaincre. Les gens de l'Audreal semblaient se complaire dans leurs incessantes querelles territoriales ou familiales. Une seule chose les ralliait tous: ils ne se trouvaient jamais à court de bonnes raisons pour se battre. Par trois fois, la petite armée de Golven fut coincée au milieu de l'un de ces conflits. Les deux premières ne furent que des escarmouches sur des sommets de collines, en plein jour, mais la dernière s'avéra très grave.

La princesse Barissa de Noire était la châtelaine de Duladan, une forteresse bâtie à flanc de falaise au-dessus des flots de la mer Noire. La tour de l'île Maudite, non loin de la côte, lui appartenait aussi. Grâce à ces deux places fortes, la princesse contrôlait en grande partie le commerce maritime avec les riches royaumes des plaines de Selsey, situées par-delà les monts Pierreux, de l'autre côté des monts du Refuge. Pas étonnant, dans ces conditions, que d'autres nobles tentent d'accaparer ces lieux stratégiques. La princesse Barissa était veuve depuis des années, mais, comme elle préférait éduquer seule ses deux fils, elle éconduisait ses soupirants les uns après les autres. Cela ne laissait d'autre choix aux ambitieux, pour s'approprier Duladan, que d'attaquer la forteresse.

Heureusement pour elle, Barissa de Noire était une formidable guerrière, très habile à l'arc. Duladan n'avait jamais été prise. Malheureusement pour Golven et ses hommes, la châtelaine souffrait de paranoïa chronique et se croyait attaquée chaque fois qu'un groupe de plus d'une dizaine d'hommes avançait en direction de sa forteresse. Barissa avait développé une stratégie sans égale: elle attaquait d'abord et posait les questions aux survivants, quand il en restait. Depuis longtemps, les marchands avaient pris l'habitude de ne la visiter que par la mer.

Le soir où Golven et Ertus parvinrent devant le large fossé qui protégeait la forteresse, ils furent surpris d'y trouver le pont-levis relevé. Ils avaient pourtant pris la précaution d'envoyer un messager, deux jours auparavant, annoncer à la princesse Barissa la venue du prétendant au trône. Il arrivait cependant que des messagers se perdent ou soient attaqués, surtout en Audreal. Il n'était pas impossible non plus que l'imposante châtelaine se refuse à rencontrer le prince d'Arville. Elle pouvait même être loyale à Paol, pour ce qu'Ertus en savait... Golven, prudent, donna l'ordre à ses hommes de se préparer à combattre.

— Gardes de Duladan! appela-t-il ensuite.

Il avait pensé qu'en s'identifiant comme le prétendant au trône, venu en paix, il verrait le pont-levis s'abaisser pour lui. Mais il n'eut pas le temps de se nommer: des flèches se mirent à pleuvoir sur sa petite armée. Guère équipé pour franchir le fossé de plus de cent coudées, Golven hurla à ses hommes de s'éloigner de Duladan. Le combat commença dans l'instant.

Les falaises qui supportaient Duladan s'étaient truffées, avec les années, de nombreux passages souterrains permettant aux assiégés du château de prendre leurs ennemis à revers. L'armée de Golven ne réussit pas à franchir la frontière des portes secrètes de la forteresse. Les soldats, malgré leur rapidité, se retrouvèrent vite coincés entre deux feux. Dès qu'il comprit ce qui se passait, Ertus s'empressa d'ériger, du côté du château, un mur d'air solide afin que les archers audrealais ne puissent plus les atteindre. Quand il vit ce que le magicien avait fait, Golven poussa une exclamation de dépit:

— Ne t'arrête pas! Aplatis-les tous!

Le moment était mal choisi pour rappeler à Golven la teneur des Grands Commandements qui régissaient l'usage de la magie. Ertus grimaça et brandit son épée sans répondre. À force de s'exercer, il réussissait de mieux en mieux à combattre tout en gardant le contrôle sur ses crystales. Cependant, cela lui demandait plus d'efforts, aussi préféra-t-il rester aux côtés de son protégé. D'affrontement en affrontement, celui-ci se montrait un excellent bretteur. Il savait mettre en pratique les enseignements que lui prodiguaient les épéistes les plus expérimentés de leur armée. Cela paraissait même lui être facile.

— Magie inutile, grogna encore Golven, à la faveur d'une accalmie.

— La magie n'est pas une arme, répondit l'homme noir en repoussant un guerrier farouche armé de deux couteaux.

Comme il disait cela, une femme vêtue de noir surgit près d'eux, apparemment sortie du sol. Désarmée, les yeux mi-clos, elle tenait un pendentif qui luisait entre ses doigts. D'un seul geste de sa main gauche, elle fit naître une mare de flammes qui engouffra plusieurs des guerriers de Golven.

— Vraiment? s'exclama le jeune prince en jetant un regard sarcastique vers son mentor.

Les flammes disparurent comme elles étaient apparues, mais les vêtements des Moïs touchés continuèrent de brûler. Craignant sans doute que la magicienne ne récidive, Golven se précipita vers elle, l'épée en avant, malgré le cri d'alarme d'Ertus. Il fut stoppé par une dizaine d'Audrealais dont la mission se résumait de toute évidence à protéger la femme en noir. Malgré sa cotte de mailles, il prit un vilain coup sous le bras, puis dans les jambes, et il s'effondra au sol.

— Pour le prince d'Arville! hurla Ertus.

Il savait qu'à ce cri, les hommes de Golven accourraient pour secourir leur chef. Et de fait, il fut vite remplacé auprès de lui par quatre soldats, qui se placèrent en cercle autour du jeune prince blessé; rassuré, le magicien se tourna vers la femme en noir et bloqua sans mal le jet de feu qu'elle venait de lui lancer. Un instant, il regretta d'avoir laissé la Crystale dans sa Tour, lorsqu'il s'était lancé dans sa quête. Ce puissant bâton lui aurait permis d'emporter son adversaire dans un monde de magie brute, où ils auraient pu se battre, loin des soldats qui s'agitaient autour d'eux. Hélas, les bâtons de magie se dissimulaient mal, c'était pourquoi Ertus avait préféré se contenter de sa bague de crystale bleue…

— Je suis le grand Ertus, tonna-t-il en levant sa main vers l'unique étoile qui brillait dans le ciel, ses yeux métalliques plantés dans ceux de la magicienne. Vois, renégate, je porte une bague de crystale bleue et je défends le prince Golven d'Arville!

Sa voix couvrit la mêlée. D'un geste ample, il projeta vers l'Audrealaise abasourdie des barreaux d'or, qui se solidifièrent autour d'elle en une cage étroite. Puis il brisa la chaîne qui retenait le cœur orangé autour de son cou et, malgré les efforts de la femme pour ne pas lâcher sa crystale, il la lui arracha en lui brisant les phalanges. La méprise qui avait présidé aux combats venait toutefois d'être brisée: le capitaine de Duladan avait entendu le nom de Golven. Il ordonna le repli; le pont-levis fut enfin abaissé et le corps du prétendant au trône fut transporté à l'intérieur de la forteresse.

La princesse Barissa l'y attendait, encore vêtue de sa cotte de mailles, et se confondit en excuses. Mais puisque le prince avait perdu connaissance et qu'Ertus n'était pas d'humeur à l'écouter, elle parla en vain pendant un bon moment.

— Si on m'avait avisée de votre présence en Audreal... Je me préparais depuis un certain temps à une attaque de Lemion, ce sal rat... Que puis-je donc faire pour me racheter?

De toute évidence, le messager du prince Golven n'avait jamais délivré son message à Barissa de Noire... Toutefois, l'homme noir ne s'attarda pas à ce détail. Il ignora complètement son hôtesse, concentrant toute son attention sur les blessures de son protégé. Il posa sa crystale sur la peau nue du jeune homme et s'évertua à soigner ses plaies. Il avait l'habitude de forcer les chairs à se refermer, les hommes de l'armée du prétendant y étaient habitués, mais ce spectacle fascina les gens de Duladan. Si la princesse Barissa n'avait pas déjà été convaincue de se ranger dans le camp de Golven, la vue des pouvoirs de son conseiller l'en aurait persuadée dans l'instant. Craignant sans doute que cette magie ne se tourne contre elle, elle réitéra avec insistance ses serments de loyauté, assurant le prétendant au trône de son soutien le plus total…

Quand la respiration de Golven redevint enfin régulière, Ertus se tourna vers la princesse de Noire, bourrelée de remords, qui ne s'était pas éloignée d'un pas. Contrairement à son habitude, il se montra d'une franchise glaciale.

— Quoi que vous en pensiez, nous avons envoyé un messager vous prévenir de notre arrivée. Il a dû être fait prisonnier, ou tué sur la route, cela ne m'étonnerait pas.

— Je le ferai chercher, bien sûr…

— Princesse, je me moque des messagers, de Duladan et du reste de l'Audreal. À mon avis, vous vous entretuerez jusqu'au dernier et ce sera aussi bien ainsi! Mais si vous voulez absolument faire montre d'un peu de civilité et vous excuser auprès du prince d'Arville, attendez à demain. Vous pourrez alors lui proposer une généreuse compensation en or pour votre méprise.

Barissa fut trop heureuse de s'en tirer à si bon compte pour négocier les termes de l'entente. Elle remercia chaleureusement le magicien et promit de loger confortablement toute l'armée de Golven. Ertus posta l'un des chevaliers de Mont-Chaud au chevet de son protégé, avant de se rendre au sommet de la plus haute des tours du château. C'était là qu'il avait fait emmener la magicienne de Duladan, dans sa cage. Pendant qu'il s'occupait de Golven, il avait cru entendre la princesse de Noire le supplier de l'épargner, parce que c'était sa sœur… ou sa cousine... Il la regarda dormir, recroquevillée au fond de sa cage, d'un sommeil agité bien qu'il ait daigné réparer ses doigts brisés, et renonça à prendre une décision avant le lendemain. Il s'était juré de porter plus d'attention aux rois du pays qu'aux magiciens, dorénavant. Aussi, sous le regard de la lune pâle et ronde qui était sa mère, il sortit de son paquetage son miroir entouré des crystales blanches. Malgré sa lassitude, il se concentra jusqu'à ce que la surface réfléchissante devienne laiteuse, puis qu'un visage d'homme soucieux y apparaisse.

— Quelles sont les nouvelles? demanda le magicien à celui qui était apparu dans le miroir.

— Pas très bonnes, j'en ai peur, soupira ce dernier. Nous avons été attaqués.

— Ah? Vous aussi?

— Hier... Comment va le prince?

— Il survivra. Cette fois, il s'agissait d'une méprise.

La conversation se poursuivit encore un peu, puis Ertus laissa son contact avec les crystales se dissiper. Il jeta un dernier coup d'œil à la magicienne endormie, avant de redescendre au chevet de son protégé. Golven ne reprit pas ses esprits de toute la nuit. Mais quand le matin se leva, il ouvrit enfin les yeux. Barissa avait insisté pour être prévenue, afin de lui présenter elle-même ses excuses; cependant, il ne toléra personne d'autre à ses côtés que son mentor. Manifestement encore secoué par la bataille à laquelle il n'avait survécu que de justesse, il le supplia d'envoyer un message à Doreïn.

— Au cas où je ne la reverrais jamais…

— Allons! Tu ne vas pas mourir! le gronda Ertus.

— Fais cela pour moi. Je ne sais pas écrire et j'ignore si elle sait lire, alors envoie-lui quelqu'un de confiance. Je voudrais tant lui parler une dernière fois...

Ertus pinça les lèvres et baigna le visage de Golven d'une eau fraîche qui le fit frissonner.

— Après tout, si je ne meurs pas ici, ça pourrait arriver à Cobell. Ou à Zenobi. Rien ne garantit que je verrai Unos, non?

Ertus ne s'y méprit pas: sous cette question anodine s'en cachait une autre. Au fond, Golven aurait aimé que le demi-dieu lui révèle son destin, pour le rassurer. Mais celui-ci s'était juré, longtemps auparavant, de ne révéler ce qu'il en savait qu'en cas d'absolue nécessité. Il se contenta donc de hocher la tête, en promettant d'envoyer un discret message d'amour à Doreïn des Champs. Le jeune prince leva un regard déçu vers son mentor, un regard où se lisaient néanmoins toutes ses angoisses. Hélas, Ertus lui-même n'était guère rassuré par l'état de l'héritier qu'il avait réussi à trouver. Et, en vérité, tout ce qu'il savait de l'avenir se résumait à une jeune fille, qui hantait parfois ses nuits: la princesse Coricess, aperçue dans les appartements royaux du château d'Unos…

6
Unos aux deux châteaux

La ville d'Unos avait été bâtie dans les premiers temps du royaume d'Eghantik par un proche cousin du bon roi Acolyn. À l'époque, le roi habitait encore Ville-Royale. Mais lorsque son petit-fils Orazionut, grand navigateur, avait hérité du trône, il avait choisi de s'établir près de la mer. Le prince de LaCôte s'était fait un plaisir de lui céder son château centenaire, à Unos, pour s'en faire construire un nouveau, dans l'ombre du premier... Depuis plus de cent cinquante ans, deux châteaux dominaient donc le paysage de la ville en haut des falaises, leurs grandes portes ouvrant sur le même parc fleuri. C'était au milieu de ce parc que l'on bâtissait les estrades des joutes de chevalerie, ainsi que l'arène qui accueillait les prestigieux combats à l'épée.

Coricess se promenait enfin à l'intérieur des remparts de la ville en compagnie du maréchal de la garde uraniane, le cousin de sa mère, celui-là même qui avait sauvé son frère aîné de la pendaison. Le vieil homme devait posséder un don pour deviner quand les membres de sa famille avaient besoin de lui, car il s'était présenté à la princesse alors qu'elle se butait aux hautes murailles de la capitale. C'était lui qui avait convaincu les gardes royaux de laisser entrer la cousine du roi Paol lorsqu'ils avaient tenté de l'en empêcher... Cependant, dès qu'il avait été mis au courant des mésaventures de la jeune fille, le maréchal avait blêmi et s'était laissé tomber à genoux devant elle:

— Occus bénisse ceux qui vous ont protégée! Quelqu'un essaie d'éliminer tous les héritiers du trône qui menacent Paol...

— Que voulez-vous dire? avait alors demandé Coricess, craignant le pire.

— J'ai voyagé aussi vite que j'ai pu pour vous prévenir, mais je n'osais penser que vous aussi... Votre jeune frère Zander a échappé de peu à une attaque sournoise! Il y a vingt jours de cela, un homme portant une cagoule lui a tiré trois flèches alors qu'il s'amusait dans le verger d'Arville. Heureusement, votre beau-père est intervenu à temps. Il a fait fuir l'archer et le pauvre Zander s'en est tiré avec une blessure au flanc.

— Et où est-il maintenant? Qui le défend?

Le maréchal Salgon avait refusé de le lui révéler. Il avait juré à Marivone de porter la triste nouvelle à Coricess, mais de ne rien dire de l'endroit où la dame d'Arville avait caché son fils cadet. Toujours à genoux, il avait toutefois promis de se joindre au chevalier Jalel et à Fosco de Sinti pour la protéger, au péril de sa vie. Après une telle promesse — et parce que le maréchal était le seul du groupe à connaître la capitale —, les deux compagnons de la princesse n'avaient pas hésité à lui confier leur protégée, avec pour mission de lui faire visiter Unos. Pendant ce temps, les deux jeunes hommes s'évertueraient à trouver un logis, du moins pour la nuit. Ils craignaient d'avoir à chercher longtemps, vu la quantité de voyageurs qui envahissait la ville à l'occasion des joutes de chevalerie. Sans doute finiraient-ils par monter la seule tente abîmée qui leur restait à l'extérieur de la ville, comme nombre de chevaliers...

Chaque année, au début de l'automne, le circuit des joutes passait par Unos. C'était de loin la fête annuelle la plus populaire auprès des nobles: ils assistaient pendant trois jours à des dizaines d'épreuves de combat, qui devenaient pour eux autant de spectacles divertissants. Des saltimbanques offraient des numéros d'équilibristes et de contorsionnistes fort courus, des musiciens jouaient dans les rues de la ville haute, les chevaliers arrivaient de tous les coins du royaume et certains princes se mêlaient à eux... Et le cœur des dames s'éprenait de ces héros courageux, du moins jusqu'à la fin des joutes.

Ces célébrations emplissaient la ville d'une fébrilité bruyante... Et Coricess se demandait pourquoi il avait fallu qu'elle arrive à Unos à ce moment précis. Elle eût préféré attendre que toute cette agitation se calme avant de rencontrer le roi Paol, car elle craignait que l'attention de son cousin ne soit distraite par les joutes. Fosco, au contraire, avait jugé l'occasion excellente pour étudier le roi; en se dissimulant dans la foule, la princesse d'Arville pourrait l'observer sans se faire reconnaître. Pendant les joutes de chevalerie, Coricess ne serait qu'une noble eghane de plus, venue goûter au luxe des festivités. Elle serait ainsi plus en sécurité.

En regardant les centaines de personnes qui se pressaient devant les deux châteaux — nobles aux tenues recherchées, bourgeois vêtus de couleurs bigarrées, artisans de la ville et serviteurs curieux, habillés dans toutes les teintes de brun —, la jeune fille devait admettre qu'il aurait été difficile à ses ennemis de l'attaquer au milieu de tant de gens. Cependant, elle pressentait qu'il lui serait difficile *à elle* d'endurer bien longtemps la bousculade et la cacophonie qui caractérisaient les joutes. Rien dans la magnificence festive d'Unos ne la séduisait. Elle ne comprenait pas ce qui poussait autant de gens à s'entasser à l'intérieur des murs de la ville. Le maréchal Salgon, qui expliquait justement à Coricess d'où venaient les joutes de chevalerie, s'aperçut vite que la jeune fille l'écoutait à peine, les lèvres plissées en une moue dédaigneuse. Il s'enquit de la raison de son mécontentement.

— On dirait que vous ne vous amusez pas, princesse?

— Tous ces gens m'étouffent, avoua-t-elle. Et quand je regarde les décorations de fleurs qui ornent les maisons, les drapeaux colorés, les nobles qui se pavanent comme s'il n'y avait rien de plus important qu'éblouir ses voisins... Tout ce gaspillage me fait rager! Dire qu'à Arville, nous n'avons même pas de quoi réparer notre toit!

— Il ne faut pas voir les joutes de chevalerie comme ça, princesse. Il faut s'y amuser!

Juste au moment où le maréchal prononçait ces mots, un galopin vêtu de loques coupa le cordon qui retenait la bourse de Salgon à sa ceinture et s'enfuit avec son butin. L'enfant ne manquait pas de culot pour s'en prendre au maréchal de la garde uraniane, pourtant reconnaissable à sa cape bleu ciel. Néanmoins, le regardant déguerpir, Coricess se sentit bizarrement rassérénée: il y avait donc tout de même des pauvres, ici, dans la riche Unos; tout à coup, la justice divine lui paraissait moins inacceptable.

— Le garnement! s'exclama Salgon.

Inutile de poursuivre l'enfant. Au milieu de la foule, il aurait été à peu près impossible de le retrouver. L'apparition du roi, devant les portes de son château, vint distraire le maréchal du vol dont il venait d'être victime. Paol avait fière allure, dans sa tunique bleue et paré d'impressionnants bijoux. Le soleil du matin rehaussait le blond de ses boucles, donnant l'impression à ceux qui le regardaient que son ample chevelure était faite du même métal précieux que la couronne sur son front... Coricess ne devait jamais oublier cette première vision de son cousin, où il lui était apparu aussi étincelant qu'un dieu.

Les gens rassemblés à Unos ne s'étaient manifestement pas attendus à voir le roi participer à l'ouverture des joutes de chevalerie. Il était de notoriété publique qu'il sortait rarement de son château, et jamais si tôt le matin. Aussi, quand Paol agita la main pour saluer ceux qui s'étaient massés autour de l'arène, il déclencha une joyeuse ovation. Les nobles, qui s'étaient déjà trouvé une place dans la grande estrade tournant le dos au château royal, furent donc les derniers à apercevoir leur souverain. Ils se tortillèrent et finirent par se lever pour applaudir sa présence, ce qui sembla lui plaire énormément. Entouré de ses gardes royaux, il s'avança dignement vers l'estrade et Coricess remarqua qu'un petit homme arborant une barbiche noire, un chapeau de velours pointu et un surcot vert sombre le suivait comme son ombre.

— Je ne l'imaginais pas ainsi, murmura la jeune fille, sans quitter son cousin des yeux. Je le pensais bien plus âgé...

— Paol? Il est en effet un peu jeune pour être le souverain d'un si grand royaume. Si je me souviens bien, il n'a pas vingt ans... Mais vous savez, Coricess, il occupe le trône depuis dix ans, déjà!

Le roi se fraya un chemin jusqu'au centre de l'estrade, où il fut accueilli par un homme grand et presque chauve, malgré sa barbe grise très fournie. Salgon le pointa du doigt et se pencha vers la princesse afin de lui expliquer:

— À la droite du roi, c'est le prince Alderyn de LaCôte. Il est l'homme le plus puissant d'Unos.

Le maréchal semblait décidément tout connaître d'Unos. La jeune princesse aurait eu beaucoup à gagner en l'écoutant religieusement. Au contraire, c'était le roi qui accaparait toute son attention. Jamais elle n'avait rencontré qui que ce soit qui lui ressemblât. Même le beau chevalier Jalel, aux manières si plaisantes, ne pouvait soutenir la comparaison! Paol, calme et serein au milieu des nobles surexcités de l'estrade, semblait empreint d'une sagesse qui l'élevait au-dessus du commun des mortels, comme s'il vivait dans une bulle que rien du monde bruyant ne pouvait crever. Coricess aurait aimé le rejoindre dans cette bulle.

— Cet homme d'un calme exemplaire aurait commandé mon assassinat? murmura-t-elle, ébahie.

Alderyn de LaCôte leva soudain les bras au ciel afin de faire taire les vivats de la foule. Le vieil homme prononça un discours d'ouverture ennuyant — sûrement le même que tous les nobles infligeaient aux spectateurs, d'un bout à l'autre du circuit des joutes de chevalerie. Le maréchal Salgon se pencha vers Coricess pour lui expliquer qu'à Unos, malgré le voisinage avec les rois d'Eghantik, les princes de LaCôte faisaient la loi. C'était Alderyn qui payait pour les joutes et non Paol, aussi celui-ci n'était-il qu'un spectateur de marque. Mais un spectateur dont on attendait quand même un discours, apparemment. Au grand amusement de Coricess, il fallut que le petit homme au chapeau pointu pose sa main sur l'épaule du roi pour que celui-ci se souvienne de son rôle. Après un sursaut, il se leva et déclama ses quelques phrases avec l'intonation monotone d'un texte appris par cœur. Il buta sur certains mots, il bafouilla...

— Il n'a vraiment pas l'habitude des discours, soupira Salgon.

Les phrases qu'on avait mises dans sa bouche étaient pourtant lyriques à souhait. Celui qui avait composé ce discours avait su ce qui ferait réagir la foule: Paol souhaita à chacun de profiter au maximum des spectacles, généreusement offerts par le prince de LaCôte. Il loua ensuite le courage et la dextérité des chevaliers, véritables héros du royaume, avant d'annoncer qu'à la fin des joutes, un banquet en plein air serait servi pour les nobles et les gens du commun, à ses frais. Une deuxième ovation salua cette nouvelle et Paol, souriant devant la réaction des gens, se rassit sagement. Enfin, le premier combat put débuter. Coricess se souciait peu des chevaliers; malgré leurs prouesses au milieu de l'arène, elle continua de regarder son cousin. Il ne lui fallut pas longtemps pour froncer les sourcils et perdre son expression admirative.

— Ce barbu a une grande influence sur le roi, fit-elle remarquer à son compagnon. Je l'ai vu lui souffler des parties de son discours et, à présent, il lui indique qui saluer parmi les chevaliers! Le roi a-t-il encore besoin d'une nounou, quand il regagne son château?

— Vous êtes trop dure avec lui, la sermonna le maréchal de la garde. Paol n'est pas le meilleur des rois, c'est vrai. Mais personne ne peut exceller dans tous les domaines à la fois! Or, c'est l'impression que les gens veulent avoir de leur souverain. On veut croire que le roi d'Eghantik est une sorte de demi-dieu, à la sagesse infinie... Prenez les joutes de chevalerie, par exemple.

— Elles n'intéressent pas le roi.

— Ah! Vous l'avez remarqué? La majorité des gens l'ignorent. Il est donc souhaitable de leur donner l'impression que le roi est assez versé dans les subtilités des combats pour reconnaître ceux qui y excellent.

Coricess détourna enfin son regard de son cousin pour dévisager Salgon. Il paraissait sincère, même si ce qu'il disait était inacceptable, à ses yeux.

— Et Golven? Quand il sera roi, devra-t-il... tricher ainsi?

— S'il veut s'attirer la sympathie du peuple, certainement.

La jeune fille se tourna derechef vers le roi et l'observa d'un œil nouveau. Difficile de savoir si son air paisible n'était pas une image, créée de toutes pièces afin de séduire les gens. Fosco de Sinti lui avait recommandé d'étudier Paol, mais d'aussi loin, il lui était impossible de s'en faire une idée juste. Malgré les protestations du maréchal Salgon, Coricess décida d'aller s'asseoir dans l'estrade, non loin du roi, pour écouter ce qu'il disait à ses voisins.

— Je suis d'aussi bonne naissance que tous ceux assis là, trancha-t-elle pour justifier sa décision. Il n'y a pas de raison pour que je regarde les joutes debout!

— Coricess... Il faut une invitation pour s'asseoir dans l'estrade!

Mais la jeune fille avait remarqué qu'en bas, un banc sans coussin était inoccupé depuis leur arrivée. Elle s'y installa avec le maréchal Salgon, n'offrant à son voisin étonné qu'un sourire innocent en guise de présentation. Dès lors, elle put tendre l'oreille et examiner Paol à sa guise. Et puisqu'elle n'était pas la seule à dévisager le roi, nul ne s'étonna de sa conduite. De plus près, il paraissait moins radieux. S'il avait semblé d'une beauté lumineuse à sa cousine, c'était qu'il avait le teint pâle, presque cireux. Et ses joues, trop maigres pour quelqu'un qui vivait dans l'abondance, lui donnaient un air malade. Il toucha cependant à peine aux fruits, aux fromages et aux pâtés qui furent servis aux nobles. Par contre, il se désaltéra abondamment du vin de santine que les Uranians prisaient par temps chaud. Et quand le midi arriva, il se mit à bougonner de plus en plus fort, malgré les avertissements du petit homme qui veillait sur lui.

— Ce chevalier-là se déplace comme une jouvencelle sur les accords d'une vielle pleurnicharde, grommela-t-il en pointant un homme assez âgé.

— Vous savez, majesté, qu'une telle légèreté de mouvement ne s'acquiert qu'avec des années d'entraînement, s'empressa de lui préciser un courtisan, après une courbette.

— Sire Bessam, disparaissez! Vous m'ennuyez, aujourd'hui! lui répliqua le roi sans le regarder.

Il se mit ensuite à pianoter sur les accoudoirs de son fauteuil, l'air exaspéré, et s'offrit un autre verre de vin.

— Ah, ce vin... Je me souviens qu'avant, il était bien meilleur!

— Ça, c'était à l'époque où le Plasek nous fournissait en vin, expliqua le prince de LaCôte, ce qui fit dresser l'oreille à Coricess. Les vins de l'Urania sont, hélas, plus acides.

— Il faut que je trouve l'imbécile qui a interrompu ce délicieux commerce, alors!

Le petit homme barbu, assis derrière le roi, fut pris d'une brusque quinte de toux qui attira tous les regards et empêcha le roi de poursuivre sur le sujet du commerce des vins. Même Coricess savait que, depuis des années, les vins provenaient en exclusivité des vignes de l'un de leurs lointains cousins uranians... Le visage rougeaud du conseiller finit par reprendre des couleurs plus naturelles et ses voisins se détournèrent de lui pour reporter leur attention vers l'arène et les chevaliers. Paol semblait avoir déjà oublié qu'il avait critiqué le vin de santine; il s'en resservit une coupe en se plaignant de la chaleur, de la longueur du combat et de son estomac vide.

— C'est *ça*, le roi d'Eghantik? ne put s'empêcher de grogner Coricess en se levant. Ce gamin pleurnichard? Nul doute que mon frère sera un bien meilleur roi!

Avant que le maréchal Salgon n'ait compris ce que préparait son imprévisible compagne, elle se glissa au milieu des nobles, montant les étages de l'estrade non sans écraser au passage quelques souliers de cuir fin. Des protestations s'élevèrent, mais Coricess ne s'y arrêta pas. Depuis qu'elle était entrée dans la ville, sa colère s'était tue. Elle lui revenait cependant dans toute sa vigueur et l'empêchait, comme toujours, de réfléchir raisonnablement. Coricess avait décidé d'aller dire au roi ce qu'elle pensait de lui, rien ne la détournerait de son but.

De chaque côté de l'estrade, des gardes armés virent la jeune fille vêtue de blanc s'avancer vers le roi. Comme elle, ils s'empressèrent de bousculer les nobles afin de l'intercepter — mais pas avant qu'elle ne s'arrête devant le prince de LaCôte et n'apostrophe le roi:

— Y a-t-il beaucoup de traités que vous avez oubliés, comme celui concernant le vin de santine? Je viens moi-même du Plasek et je suis outrée de constater que notre ruine vous est sortie de l'esprit!

Le roi leva un regard éberlué vers la jeune fille, frémissante de rage, et décida immédiatement qu'elle ne représentait pas une menace sérieuse pour sa sécurité. Malgré l'air réprobateur du petit homme barbu, il fit signe aux gardes de son escorte de s'en retourner à leur poste. Puis, un rictus méprisant aux lèvres, il fixa à nouveau son attention sur les chevaliers dans l'arène, ignorant Coricess. Ce voyant, n'importe quel courtisan aurait compris qu'il devait s'en aller, car Paol ne désirait pas lui parler. Mais la jeune Plasekoise ne connaissait rien aux usages de la cour royale. Constatant l'attitude dédaigneuse du roi, elle revint à la charge avec plus de hargne:

— Les joutes sont peut-être très intéressantes, roi Paol, mais elles ne devraient pas vous détourner de la plus élémentaire politesse!

Plus personne ne regardait les combats, hormis Paol. Tous les regards s'étaient tournés vers la princesse d'Arville et des exclamations offusquées fusèrent de partout quand elle reprocha au roi de se montrer discourtois. L'homme au chapeau pointu avait bondi de son siège pour se pencher au-dessus de Paol. Pointant un doigt crochu vers Coricess, qu'il dominait d'une tête, il s'écria:

— Comment osez-vous vous adresser ainsi au roi, jeune *fardi*? Et d'abord, qui êtes-vous?

— Jeune *fardi*? répéta la jeune fille, hébétée par ce mot qu'elle ne connaissait pas. Gardez vos insultes pour vous, vieux desséché, je lui parlerai comme je le veux!

Le maréchal Salgon avait hésité un instant avant de suivre sa protégée. La voyant sur le point de commettre une bourde sérieuse, il s'empressa d'intervenir:

— Pardonnez à ma pauvre nièce, noble Fubald. Je l'ai perdue de vue un moment et voilà où je la retrouve! C'est une jeune fille de la campagne, vous comprenez? C'est la première fois qu'elle vient à Unos et elle ne sait comment s'y comporter! Sa mère n'a pas su l'éduquer...

Avec un rire gêné, Salgon saisit le bras de Coricess et tenta de l'entraîner loin du roi. Mais la jeune fille ne perçut pas le bon sens de son intervention; plus enragée que jamais, elle se dégagea vivement.

— C'est vous qui ne savez vous comporter, maréchal, grogna-t-elle. Je suis Coricess d'Arville, fille du défunt prince royal Volrad et cousine du roi Paol... Je suis en droit, je pense, d'attendre plus d'égards de sa part!

— Coricess d'Arville! se récria aussitôt Fubald, avant que le roi ne réplique quoi que ce soit. Vous êtes la sœur de ce félon qui prétend usurper le trône d'Eghantik?

Salgon grimaça et Coricess comprit enfin, trop tard, ce que son compagnon avait voulu empêcher. Elle s'était fiée aux dires de Jalel, croyant naïvement pouvoir parler à son cousin comme à ses frères, sûre que le roi ne la ferait pas mettre aux fers... Mais en révélant ainsi son identité, elle s'attirait l'ire des nobles de l'entourage du roi. Et parmi ceux-ci se cachait peut-être un opportuniste, prêt à se charger de son assassinat pour plaire à son souverain. Elle frissonna à l'idée de sa propre inconséquence.

Dans les estrades, les murmures allaient bon train, couvrant presque les tintements métalliques des épées, dans l'arène. On regardait la jeune fille en blanc avec des airs scandalisés. Ce n'était pas ainsi que Coricess avait imaginé sa première rencontre avec le roi. Après avoir fait tout le chemin depuis le Plasek, après avoir échappé à des embuscades et avoir vu des amis mourir... Elle avait cru que le roi, s'il était forcé de la rencontrer en public, se montrerait au moins poli. Au contraire, il laissait des subalternes la ridiculiser devant tous ses courtisans tandis qu'il la dévisageait effrontément. Essayant de regagner un semblant de dignité, elle lui déclara sans détour:

— Bien sûr que je suis la sœur de Golven. N'est-ce pas pour ça que vous avez voulu me faire tuer?

Les protestations du roi la prirent par surprise:

— Je... Moi? Mais je n'ai jamais voulu tuer qui que ce soit! s'exclama-t-il, les yeux ronds de saisissement. Qu'est-ce que c'est que cette histoire?

Le roi tourna la tête vers l'homme à la barbichette qui devait être son conseiller, cherchant une réponse, mais celui-ci s'était rassis dès que Paol avait commencé à parler.

— On a attenté à ma vie par deux fois, le long de la côte uraniane, puis encore chez le seigneur de Pouzole! expliqua Coricess, son courroux toujours très vif. Seuls deux de mes compagnons ont survécu!

— Quelle tristesse! Je compatis à votre peine...

— Vous compatissez? Mais ici même, aux portes de votre belle ville, les gardes royaux ont voulu m'empêcher d'entrer dans Unos à la pointe de l'épée!

Du côté de l'arène, le combat avait pris fin dans l'indifférence la plus totale et personne ne s'était avancé pour poursuivre les joutes. Le temps lui-même semblait suspendu, attendant les mots que prononcerait le roi... Ses doigts qui pianotaient sur son fauteuil semblaient ne jamais devoir s'arrêter. Coricess aurait aimé écraser sa main sous la sienne afin de faire cesser ce tambourinement obsédant.

— Chère... cousine, il s'agit sûrement d'une méprise, soupira enfin Paol. Tout le monde peut entrer dans Unos en temps de paix, spécialement pendant les joutes de chevalerie. Et à présent que je vous ai à mes côtés, je ferai tout en mon pouvoir pour assurer personnellement votre sécurité.

Coricess examina le roi avec suspicion. Son sourire paraissait sincère. Et avec ses yeux cernés, ses pommettes saillantes et son air nerveux de bête traquée, le vrai Paol contrastait énormément avec le portrait de souverain insensible qu'elle s'était mentalement tracé. En fait, il semblait miné par la maladie! Malgré cela, elle doutait de pouvoir se fier à ses belles paroles. Certes, il savait prendre un air charmeur; quand il parlait, une flamme s'allumait dans ses prunelles, qui faisait fondre la colère de Coricess... Mais la jeune fille devait rester en colère. La colère la protégeait, l'empêchait de se laisser attendrir par ce roi, qui donnait pourtant l'impression d'être bien trop chétif pour avoir causé tout le mal dont Fosco de Sinti l'accusait... Mais comment se fier à la parole d'un roi observé par la moitié des nobles de la région? Il ne dirait rien en public qui puisse lui nuire — et surtout pas la vérité!

— Si ce n'est pas vous, alors qui donc a voulu ma mort? attaqua-t-elle à nouveau en grimaçant. Vous seul auriez des raisons de me détester.

— Peut-être s'agissait-il de bandits de grand chemin? intervint aimablement Alderyn de LaCôte.

— Des bandits! se réjouit Paol. Oui, sûrement, car j'en avais entendu parler...

Coricess pinça les lèvres, se souvenant des paroles de Fosco de Sinti. Son protecteur lui avait prédit que le roi accuserait des bandits de grand chemin pour se laver les mains des attaques contre elle. Faute de preuve, c'était en effet la solution idéale: qui oserait contester ses dires?

— Ah, vraiment? insista Coricess sans s'adoucir d'un iota. Ces «bandits de grand chemin» étaient d'excellents bretteurs, bien organisés, et ils possédaient des armes neuves. Vous dites que vous en avez entendu parler? Comment pouvez-vous, dans ce cas, tolérer qu'une telle menace hante la route menant à la capitale?

— Fubald?

Le petit homme barbu n'avait rien manqué de la conversation, comme tous ceux qui prenaient place dans l'estrade. Mais sa dignité l'empêchait manifestement de le laisser paraître. Il se pencha vers le roi en arborant son air le plus attentif.

— Comment se fait-il que les routes soient si peu sûres, Fubald?

— Vous avez choisi d'investir votre or ailleurs, majesté. Vous avez fait construire un pont par-dessus la Tonnerre pour faciliter le commerce avec le Tar. Vous avez diminué les taxes sur les fourrures et la soie.

Paol hocha vivement la tête.

— Des investissements très utiles.

— Et qu'avez-vous fait pour le Plasek, que vos traités ont ruiné? Et pour l'Audreal? Et pour le Mô?

Le sourire satisfait de Paol disparut. Il se dressa devant sa cousine, à présent aussi en colère qu'elle, et commença à l'invectiver:

— Comment osez-vous me faire ces reproches, *fardi*? dit-il en insistant sur le mot que Coricess ne comprenait pas. Vous insinuez que je ne sais pas gouverner mon royaume? Peut-être voudriez-vous nous dire que vous y réussiriez mieux que moi?

Le conseiller Fubald paraissait bien connaître le roi et ses sautes d'humeur. Il s'empressa de descendre au niveau de Coricess, l'air mécontent. Il fit signe aux gardes royaux de s'approcher et tira la jeune fille par le bras, loin du roi, qui continua néanmoins à tempêter.

— Voilà, vous êtes satisfaite? Le roi s'était pourtant montré aimable avec vous, princesse, compte tenu de la menace que vous représentez pour lui! Disparaissez, cela vaudra mieux, avant qu'il ne décide de faire fi de votre rang!

Sur cette menace, le conseiller la confia à un des gardes royaux, avec l'ordre de l'escorter hors des murs de la ville haute. Puis Fubald retourna se poster aux côtés du roi, l'air contrit. Il tenta de calmer Paol, mais celui-ci refusa de se laisser faire. Il envoya même une coupe d'or, pleine du vin de santine qu'Alderyn de LaCôte venait de lui verser, voler au milieu de l'arène déserte. En désespoir de cause, Fubald murmura quelques mots à l'oreille du roi, et ce qu'il lui révéla parut lui plaire.

— Cette détestable princesse vous a poussé à bout, regagnez vos appartements et détendez-vous, lui suggéra-t-il en plus.

— C'est une excellente idée, admit Paol, s'apaisant immédiatement. Crois-tu que tu pourrais faire parvenir un message à... Enfin, tu sais qui?

Sans saluer qui que ce soit, sans attendre non plus la réponse de son conseiller, le roi quitta l'estrade et regagna son château. Il ne resta, au milieu des nobles, que Fubald pour expliquer les excès du souverain. Et il ne se gêna pas pour en faire porter tout le blâme à la jeune Coricess, qui se trouvait trop loin, à présent, pour entendre quoi que ce soit.

7
La décision de Coricess

Tandis que Coricess et lui s'éloignaient de l'estrade, dûment escortés par le garde royal, le maréchal Salgon reprocha vivement sa conduite insensée à la jeune princesse. En visitant Unos, ils avaient eu pour but d'observer discrètement le roi et son entourage. Pas de se faire reconnaître par tous ceux qui désiraient la mort des enfants de Volrad!

— Vous auriez dû rester à votre place... Et vous auriez dû me suivre quand je suis intervenu!

— Je sais! grommela-t-elle. Mais ça a été plus fort que moi.

— Vous êtes exactement comme votre père! répondit alors le maréchal de la garde, ce qui figea la jeune fille. Et vous savez où cela l'a mené.

— Vous le pensez vraiment?

La dernière chose que la princesse d'Arville souhaitait était bien de ressembler à son défunt père. Le prince royal Volrad avait terrorisé son entourage par de fréquentes sautes d'humeur. Il était devenu violent à mesure que sa situation financière se détériorait et qu'il cherchait la solution dans l'eau-de-vie... Sa mort, au fond, avait été un soulagement pour la jeune fille. Elle se savait colérique, mais sûrement pas autant que lui! Néanmoins, la remarque du maréchal la fit réfléchir tout le long du chemin jusqu'au grand arbre, près de l'entrée de la ville, où les quatre compagnons avaient décidé de se retrouver à la fin de la journée. Elle haussa à peine les sourcils lorsque Salgon glissa un écu dans la main du garde, pour le convaincre de les laisser là plutôt que hors des murs.

Une fois loin de la foule, la jeune fille se surprit à frissonner dans le vent du large. Bien que ce ne soit encore que le début de l'automne, le vent restait frisquet. Coricess aurait volontiers passé une cape par-dessus son bliaud délicat... Mais la généreuse comtesse de Valvert, qui lui avait fourni à la fois son escorte et sa garde-robe, n'avait manifestement eu aucune idée du climat d'Unos; toutes les tenues qu'elle lui avait données étaient de lin fin ou de soie... Après la traîtrise de Todule de Pouzole, Coricess devait se compter chanceuse de posséder encore l'un des coffres contenant ses effets personnels! La jeune fille espérait au moins ne pas avoir à attendre longtemps l'arrivée de Jalel et Fosco. Heureusement, ses deux compagnons arrivèrent au point de rencontre peu après le maréchal Salgon et elle.

— Alors? Où dormirez-vous, ce soir? demanda immédiatement Salgon à Fosco de Sinti.

Une belle complicité était en train de s'installer entre ces deux-là. Ils paraissaient toujours penser la même chose au même moment, ils partageaient les mêmes opinions et, en général, ils semblaient également convaincus que la vie de la princesse ne tenait qu'à un fil. Graves à l'excès, ils auraient suprêmement ennuyé Coricess s'ils ne s'étaient autant préoccupés de son bien-être: Fosco, malgré l'urgence de trouver un logis dans la ville surpeuplée, avait pris le temps d'acheter un châle pourpre pour la princesse d'Arville. Lui seul songeait à ce genre de détail. Le beau Jalel, au contraire, affichait un sourire insouciant qui ne se démentait pas, peu importe les ennuis qui leur tombaient dessus. Mais s'il avait eu l'habitude de cueillir des fleurs sauvages pour Coricess, au début de leur voyage vers la capitale, il ne l'avait plus refait depuis la mort de son ami Erart. D'ailleurs, son sourire manquait de sincérité, depuis ce drame...

— Une vulgaire maison de bois, près du quartier des prostituées, annonça Fosco d'un air morne, avec un regard d'excuse en direction de Coricess. Par chance, tout y est à peu près propre.

Coricess grimpa dans la charrette, plutôt démoralisée par cette première journée à Unos, et serra son nouveau châle autour d'elle.

— Et vous? Les joutes de chevalerie, c'était comment? demanda le jeune homme pour changer de sujet.

— Oh, les joutes étaient bien, répondit Salgon avec une grimace. C'est la rencontre entre Paol et Coricess qui s'est moins bien passée.

Le chevalier Jalel lança un regard perplexe à la jeune fille avant d'empoigner la bride de leur dernier coursier, pour le guider le long des rues de gravier qui menaient aux quartiers malfamés de la ville. Fosco, lui, prit un air horrifié pour réclamer des précisions.

— Je crois que j'ai insulté le roi trois ou quatre fois, avoua Coricess. Pour finir, un homme avec une barbiche noire m'a ordonné de partir. Mais puisque personne n'a essayé de me tuer, ce n'est pas si mal!

— Mais... Il n'a jamais été question que... Vous deviez... Ah! Que faire, à présent?

Fosco de Sinti secoua la tête, l'air découragé. Il se tourna vers Salgon et, encore une fois, les deux hommes parurent se comprendre sans un mot.

— Bah! C'est votre cousin, il vous pardonnera, conclut Jalel avec son habituelle nonchalance. Parions qu'à votre prochaine rencontre, il sera charmé de vous revoir!

Fosco jeta un regard de reproches au blond chevalier, mais, contre toute attente, le vieux maréchal donna raison à Jalel. Il renchérit même en rappelant que le roi n'était pas un sot, que ses décisions témoignaient d'une grande maîtrise de la diplomatie. Il feindrait donc la joie si la visite de sa cousine ne le réjouissait pas effectivement.

— Maréchal, depuis ce matin, vous ne cessez de louer le roi. Vous nous aviez pourtant assuré ne pas l'avoir en très haute estime. Êtes-vous dans *son* camp ou dans le nôtre?

Coricess planta son regard vert dans celui du vieil homme à la chevelure blanche, sourcils froncés, et attendit sa réponse sans le quitter des yeux. Celui-ci se troubla et ne sut que répondre... À priori, le maréchal de la garde uraniane détenait son autorité du prince de LaCôte. Bien qu'il passât la plus grande partie de l'année du côté du Couchant, près de la chaîne des Salahs, il devait venir assez régulièrement à Unos pour rendre des comptes. Salgon avait donc souvent l'occasion de croiser le roi et ses proches. La jeune fille ne pouvait s'empêcher de songer que l'homme à la cape bleu ciel pouvait commander, au besoin, à tous les soldats de l'Urania — même si, en réalité, son titre était purement honorifique. Il aurait pu leur ordonner de la tuer, si quelqu'un l'en avait chargé...

— Ça suffit, Coricess! la sermonna Fosco. Nous ne sommes pas assez nombreux pour nous soupçonner mutuellement de trahison!

L'hôtel de bois apparut, au détour d'une ruelle, et Jalel fit s'arrêter la charrette pour permettre à Coricess d'en descendre, ce qui fit diversion. Ses deux compagnons se saisirent du coffre qui contenait toutes ses possessions et pénétrèrent devant elle dans la bâtisse minable. L'intérieur était obscur, enfumé et bruyant. Une demi-douzaine d'enfants se chamaillaient sans que personne les rappelle à l'ordre, deux femmes au visage peinturluré et au décolleté plongeant jasaient comme des pies d'une voix aiguë très désagréable et un groupe d'hommes, occupés à fumer une herbe au parfum entêtant dans un coin du rez-de-chaussée, riaient trop fort. De plus, une odeur de viande crue flottait dans l'hôtel, comme si on avait installé une boucherie à l'étage... Pour Coricess, cet endroit était pire que la foule des joutes de chevalerie. Comment pourrait-elle dormir dans un hôtel aussi sordide sans craindre d'être assassinée dans son sommeil?

— Où logerons-nous notre coursier et notre charrette? demanda Fosco aux deux femmes avec son air le plus pédant.

Les voyageurs découvrirent assez vite qu'ici, il n'y avait pas d'écurie. Le maréchal Salgon offrit immédiatement de mener la charrette et le coursier à la tour des gardes, où lui-même résidait quand il venait à Unos. Après les paroles acides de Coricess, il ressentait sans doute le besoin de s'éloigner un peu. Après le départ du maréchal, Fosco poussa un long soupir. Il paraissait sur le point de courir derrière lui, afin de lui demander de les héberger avec les soldats: il jetait un tel regard de dégoût sur tout ce qui l'entourait, du plafond jusqu'à l'âtre! Mais, enfin, il dut se souvenir qu'aucun autre établissement d'Unos ne possédait de chambre libre, car ses épaules s'affaissèrent et il guida la princesse vers l'arrière de l'hôtel.

— Il ne restait que deux chambres minuscules, près de la cuisine, expliqua-t-il avec une moue résignée. Mais cela ira, car, chaque nuit, Jalel et moi monterons la garde devant la porte de votre chambre.

Coricess remercia le jeune homme, sans enthousiasme. Voilà qui l'aiderait au moins à fermer l'œil. Quand elle pénétra dans la chambre, cependant, et qu'elle vit l'état lamentable du lit et de sa literie, la jeune fille se ravisa. Elle s'assit sur son coffre, découragée, et s'efforça de retenir ses larmes. Sa visite à Unos était un fiasco.

— Ma mère avait bien raison de vouloir me retenir à Arville! soupira-t-elle.

— Comment était-il? intervint Jalel avec un grand sourire, en chassant une araignée qui se baladait sur le lit.

— Qui, le roi?

La question inattendue fit oublier à Coricess, l'espace d'un moment, son abattement. Elle chercha que répondre. L'allure du roi contrastait tant avec sa personnalité...

— Il semblait malade, commença-t-elle. Il est trop maigre, trop pâle. On dirait qu'il ne dort pas bien.

Coricess se rappela le tambourinement des doigts de Paol sur son siège et songea à son propre père. Le prince Volrad avait aussi eu des tics nerveux agaçants, dus aux infusions amères qu'il buvait pour se tenir éveillé, après des nuits passées à jouer aux cartes et à parier... La plante utilisée par son père venait des montagnes de l'Aï et peu de gens en connaissaient les propriétés — du moins au Couchant. Ici, au Levant, c'était peut-être différent.

Il était donc possible que le roi fasse un usage aussi intensif du *perlino* que Volrad…

— Je me demande bien ce qui peut empêcher le roi de dormir? dit pensivement le chevalier.

— Vraiment, Jalel! C'est la guerre, bien sûr, qui lui donne des insomnies! s'exclama Fosco en secouant la tête. Le succès que remporte Golven auprès des princes du Couchant doit beaucoup inquiéter le roi Paol.

— Vous en paraissez bien certain... Pourtant, j'ai reçu un message qui m'informait de violents combats entre les partisans de Golven et de nombreux guerriers moïs. Je ne crois pas, moi, que tous les princes du Couchant vont adopter facilement le prince d'Arville.

Coricess contempla Jalel, partagée entre la consternation et l'étonnement devant la précision des informations que recevait le chevalier. Kandile de Valvert lui avait prédit qu'il deviendrait vite un allié précieux, mais la princesse d'Arville en avait simplement déduit que Jalel excellait à l'épée. Or, presque chaque jour, la jeune fille découvrait à quel point ses messagers étaient efficaces... Tout autant que discrets. Elle n'avait cru en surprendre qu'un, un soir le long de la côte uraniane, pendant que tout le monde montait le camp…

— Pour être franche, j'ignore si le roi est aussi bien informé que vous, Jalel, le contredit-elle cependant. Son conseiller à barbichette a davantage réagi que Paol quand je me suis nommée…

Les trois compagnons se dévisagèrent en silence, chacun se demandant ce qui pouvait se passer dans la tête du roi. Jalel, le premier, éclata d'un rire franc qui fit sursauter les autres:

— Nous voilà en train de nous interroger sur les soucis de Paol… Et s'il avait simplement souffert d'une indigestion, la nuit passée?

— Soyez sérieux! protesta Fosco. Nous parlons de l'homme qui nous a fait attaquer à quatre reprises!

— Eh bien… je n'en suis pas si sûre.

Devant l'air réprobateur de Fosco et celui goguenard du chevalier, Coricess décida de tout reprendre depuis le début et de rapporter à ses trois compagnons les paroles de son cousin, le plus fidèlement possible. Quand elle eut terminé, Jalel et Fosco s'entendirent à penser que l'attitude du roi fleurait la ruse. Jurer de protéger personnellement la sœur de votre ennemi, il y avait de quoi éveiller la suspicion de n'importe qui. D'un autre côté — et malgré ce que prétendait le maréchal Salgon —, Paol n'avait pas paru se soucier beaucoup de l'image qu'il offrait, ce jour-là, aux gens rassemblés pour les joutes. Il y avait donc peu de chances qu'il ait bluffé, simplement parce qu'il se trouvait en public.

— Que faut-il comprendre, dans ce cas? se désespéra Coricess. Que le roi est fou?

— Ou qu'il ignore ce qui se passe dans son royaume. Salgon a beau le croire fin stratège politique, il est de notoriété publique que le roi n'aime pas prendre de décisions. De là à laisser les autres décider à sa place, il n'y a qu'un pas, supposa Jalel en soupirant.

— Impossible! refusa tout net Coricess. Paol est roi. Un roi n'est pas une... une marionnette! Non... le roi a juré d'assurer ma protection? Alors profitons-en: demain, j'irai m'installer au château royal et je l'observerai. Alors, je saurai qui il est vraiment.

— Même après ce que nous avons subi? s'enthousiasma Jalel. Quel courage!

— Ce n'est pas du courage que de se livrer, pieds et poings liés, à votre ennemi, bougonna de son côté Fosco. C'est de l'inconscience! Je parie que je pleurerai sur votre cadavre d'ici trois jours.

Coricess s'était doutée, dès le moment où elle avait pris sa décision, que celle-ci ne ferait pas l'unanimité. Mais elle s'en moquait. Elle savait que Fosco jugerait cette idée trop dangereuse. Mais après avoir rencontré Paol, il lui semblait qu'habiter sous son toit ne serait pas nécessairement si risqué... Seul Jalel partageait son opinion:

— Oui, c'est un risque mesuré. Paol, ni personne de son entourage, par ailleurs, n'assassinerait la cousine du roi pendant qu'elle séjourne au château royal. À condition de ne rien manger ni boire que vous n'ayez préparé vous-même, je pense que vous serez aussi en sécurité là-bas qu'à nos côtés.

C'était une étrange façon d'envisager un séjour dans un château. D'autant plus quand c'était le joyeux Jalel qui énonçait les choses aussi sérieusement. La jeune fille, déroutée, hocha la tête en fronçant les sourcils et songea à ce que sa mère aurait pensé de sa décision. Un mince sourire de dérision étira ses lèvres: dame Marivone lui aurait surtout recommandé de partir en quête d'une nouvelle servante pour s'occuper d'elle, au château royal. Non pas qu'elle ne sût se débrouiller seule; au château d'Arville, Coricess n'avait guère eu le choix d'apprendre à boutonner ses robes sans aide. Mais comme sa mère l'aurait dit, la cousine du roi ne pouvait se présenter au château royal sans être accompagnée d'au moins une domestique. Heureusement, la jeune princesse ne doutait pas que le maréchal Salgon, à son retour à l'hôtel, saurait la conseiller à ce sujet.

8

Au château royal

La chambre de Coricess, au château royal, était somptueuse. Une large cheminée au manteau sculpté occupait un mur entier et deux fenêtres lui faisaient face. Lorsqu'elle ouvrait les volets de bois qui empêchaient le vent de la mer de s'infiltrer à l'intérieur, la jeune fille pouvait contempler l'immensité de la mer des Rois. À l'horizon, une petite île verdoyante se dressait, loin des falaises de la côte... La blonde Itia au voile bigarré, que le maréchal Salgon lui avait dénichée comme servante, s'extasia quant à elle sur les tapisseries qui ornaient les murs:

— Voyez, princesse, celle-ci représente la belle Miryl se sacrifiant pour sauver le roi Thetrus. Et celle-là, quelle merveille! C'est sûrement Orazionut et l'Oriate Vaïtu sur leur bateau... Imaginez notre bonheur: nous dormirons en compagnie des plus grands rois de l'Eghantik!

— Ce sera parfait. Peut-être m'aideront-ils à comprendre l'actuel roi Paol?

L'ironie de Coricess échappa complètement à Itia. La jeune Uraniane n'en perdit pas son enthousiasme pour autant et elle entreprit de déballer les tenues de sa nouvelle maîtresse pour les suspendre et les défriper. Se sentant tout à coup de trop dans sa propre chambre, la princesse décida de descendre au rez-de-chaussée afin d'entreprendre sa visite du château royal.

Le château du roi avait bien peu en commun avec celui d'Arville. Coricess fut surprise de constater le nombre de pièces, de corridors et d'escaliers que comptait la demeure de son cousin. Tout semblait s'y trouver en double, du moins au rez-de-chaussée: il y avait deux salles à manger et deux cuisines — celle où l'on concoctait les repas des nobles et celle réservée aux serviteurs — deux salles de réception, deux salles d'armes... Mais une seule galerie de portraits. Quand, partant de là, la jeune princesse voulut poursuivre sa visite avec le deuxième étage, un garde bedonnant assis sur un banc lui bloqua le passage avec sa pique.

— Vous êtes ici dans l'aile du roi, l'informa-t-il d'une voix où perçait l'ennui. Et le roi ne reçoit aucune visite aujourd'hui.

— Je suis sa cousine, nouvellement arrivée au château, précisa la jeune fille, heureuse d'avoir trouvé si vite les appartements royaux.

— Il ne vous recevra pas. Surtout pas vous! Le conseiller Fubald nous a tous avisés de vous tenir à distance, car vous avez indisposé le roi, à l'ouverture des joutes.

— Justement. Je désire m'excuser auprès du roi!

— Il faudra vous adresser au conseiller Fubald, pour cela. Moi, j'ai ordre de ne pas vous laisser passer.

Déçue, Coricess vagabonda jusqu'au soir, sans vraiment discuter avec qui que ce soit. Suivant les conseils de Jalel, elle prit son repas seule dans sa chambre, mangeant des provisions apportées dans ses bagages. Itia revint au moment du coucher pour aider sa maîtresse à se mettre au lit, puis elle s'étendit sur une paillasse, en travers de la porte, et le silence tomba peu à peu sur le château royal. Coricess n'avait jamais dormi dans un lit aussi douillet. Malgré cela, les cauchemars l'assaillirent toute la nuit, les mêmes qui la hantaient depuis la mort du chevalier Erart. Elle était donc toujours aussi fatiguée quand elle commença sa deuxième journée au château, s'éveillant au son des joutes de chevalerie; elle avait oublié de fermer les volets des fenêtres.

— Irez-vous aux joutes, ce matin? lui demanda Itia en l'aidant à revêtir le long voile de gaze qui la couvrirait jusqu'à la taille.

— Ah, non! Il y a mieux à faire...

Coricess s'interrompit en voyant l'air déçu de la jeune Uraniane. Elle devina son désir d'assister aux prouesses des chevaliers.

— Mais vas-y, toi.

— Oh, non! Ce ne serait pas séant de vous laisser seule au château!

— Mais oui, crois-moi. Je n'aurai pas besoin de toi avant ce soir.

Itia n'hésita qu'un instant avant de laisser éclater sa joie. Elle frappa des mains comme une enfant et sortit vite de la chambre, laissant Coricess déroutée de constater le pouvoir qu'exerçaient les nobles sur les gens du commun. C'était la première fois de sa vie qu'elle avait l'occasion de décider de son propre emploi du temps; qu'elle puisse de surcroît choisir pour une tierce personne lui donnait le vertige!

Coiffée et habillée comme une princesse — pour la première fois de sa vie — par les bons soins d'Itia, Coricess sortit à son tour de sa chambre et resta dans le corridor, l'estomac gargouillant, à se demander où prendre son petit-déjeuner en sécurité. Les paroles du chevalier blond résonnèrent à son esprit... Mais elle les balaya résolument avant de se diriger vers la cuisine des nobles. Il lui était difficile de croire que quelqu'un empoisonnerait tout le château dans le seul but de l'atteindre, aussi n'hésita-t-elle pas à se servir directement dans la marmite, comme elle l'avait toujours fait chez elle.

— Holà! Que faites-vous ici? s'exclama cependant un homme à la silhouette sphérique dès qu'elle osa plonger la louche dans une marmite qui bouillonnait au-dessus du feu.

— Je... Je me sers!

Le cuisinier en resta interdit un instant, comme si personne ne lui avait jamais fait l'affront de fouiller dans ses marmites. Il se contorsionna dans une courbette qui manquait de sérieux; cependant, il ne se gêna pas pour lui déclarer qu'aucune princesse n'avait à venir dans les cuisines. Il lui apprit qu'on lui porterait son déjeuner dans la petite salle à manger, si elle voulait bien se donner la peine d'aller s'y asseoir et d'attendre un moment... La jeune fille rougit. Au comble de l'embarras à cause de cette nouvelle bourde, elle avala son repas à la vitesse de l'éclair, persuadée que tous les courtisans rassemblés dans la salle à manger apprendraient l'histoire bientôt et riraient d'elle dans son dos. Elle fut heureuse que les joutes de chevalerie attirent tout le monde dehors.

Coricess ne perdit pas de temps avant de reprendre son exploration du château. Cette fois, cependant, elle n'hésita pas à poser aux serviteurs les questions qui lui traversèrent l'esprit. Ce fut de cette manière qu'elle apprit l'histoire de tous les rois, reines, princes et princesses d'Eghantik dont les portraits décoraient la galerie royale... Sous un angle dont sa mère avait négligé de lui parler.

La galerie des portraits était un endroit assez rébarbatif: on aurait juré que l'architecte du château n'avait pas su que faire de cette partie de la bâtisse. La galerie n'était pas vraiment un corridor, elle était bien trop large, mais elle était beaucoup trop étroite pour se prétendre une pièce conventionnelle. D'ailleurs, elle n'avait ni porte, ni fenêtre. Une banquette avait été placée en son centre, permettant aux promeneurs d'admirer les portraits royaux. Cependant, bien peu de visiteurs passaient par ici, sans doute parce que tous ces visages solennels de nobles trépassés, figés pour l'éternité, donnaient la chair de poule. C'était sûrement aussi la raison pour laquelle il n'y avait que deux chandeliers pour éclairer la galerie des portraits. L'homme qui renouvelait les chandelles s'enorgueillissait pourtant de connaître la vie de tous les souverains d'Unos depuis Orazionut... Et surtout celle des jumeaux Volker et Volrad.

Coricess n'eut pas besoin de se présenter à lui: la nouvelle de son arrivée au château royal avait vite couru. Il se fit un plaisir de lui parler de son père.

— Les deux princes royaux étaient très différents l'un de l'autre. Jamais on n'aurait cru qu'ils étaient jumeaux! Avec leurs jeunes frères Afrad et Mellior, ils formaient un quatuor turbulent. Pas un seul serviteur du château ne pouvait se vanter d'avoir échappé à leurs frasques! D'ailleurs, Volrad paraissait être l'aîné tant il savait mener les autres par le bout du nez. Et le jeune Mellior mentait si souvent et si bien que même ses frères n'arrivaient pas à démêler le vrai du faux... Pas étonnant qu'il se soit fait magicien. Pas étonnant, non plus, que ce quatuor ne soit pas resté uni. Les fils de Thetrussion possédaient chacun une personnalité trop forte pour ne pas en venir à se marcher sur les pieds. Volker semblait sage et paisible, on croyait qu'il aimait se tenir dans l'ombre de son jumeau. Mais quand Volrad a ruiné ses chances d'épouser la princesse Raneile, cela l'a mis dans une telle colère qu'à la fin, c'est Volrad qui a dû s'exiler! Et Afrad, à qui la vie au château ne convenait nullement, l'a suivi. Quelle misère, n'est-ce pas? L'Eghantik a perdu d'un coup et pour toujours deux princes royaux!

Les visages imberbes des quatre gamins, immortalisés avec des sourires si semblables par leur ironie, semblaient mettre Coricess au défi. Au défi de découvrir qui désirait sa mort, au défi de rencontrer Paol, au défi de mettre Golven sur le trône en écourtant la guerre... La princesse quitta la galerie des portraits un peu mal à l'aise, serrant dans sa main un bout de toile sur lequel le serviteur lui avait griffonné un vague plan du château. Quand elle lui avait confié vouloir rencontrer le roi, il lui avait suggéré, lui aussi, de dénicher d'abord le conseiller Fubald.

— Malheureusement, comme tout le monde ici, j'ignore où sont ses appartements. Seul le roi le sait, je crois! Mais dites-vous que, tôt ou tard, vous croiserez Fubald dans le château... Au moment qu'il aura choisi.

Tous ces mystères exaspérèrent Coricess et lui rendirent le conseiller Fubald très antipathique. La jeune fille était néanmoins assez têtue pour ne pas se laisser décourager: elle passa une bonne partie de sa journée à essayer de trouver le repaire du conseiller. Mais ce faisant, elle causa malgré elle tout un émoi parmi les courtisans...

9
Les premiers jours à Unos

Le roi ne se promenait presque jamais dans son propre château et, quand il le faisait, c'était accompagné d'une bonne escorte. Ce matin-là, Paol devait discuter avec la princesse du Tar dans l'une des pièces du rez-de-chaussée, aussi marchait-il au milieu d'un cortège de soldats vêtus de la livrée rouge et or. Le plus vieux des gardes ouvrait la marche, une position honorifique sans grande responsabilité puisque tous les courtisans s'écartaient du chemin devant le roi, en chuchotant avec animation, sans jamais essayer de l'arrêter. Seule Coricess, peu au fait des habitudes du château, ne comprit pas ce qui lui arrivait quand le chef des gardes se buta à elle.

— *Fardi*? dit-il respectueusement en s'arrêtant, plutôt confus.

Coricess releva la tête du plan qu'elle examinait attentivement. Elle dévisagea le vieux garde bedonnant, reconnaissant celui qui lui avait refusé l'accès aux appartements royaux, la veille. Elle haussa les sourcils, se demandant pourquoi, au milieu d'un corridor aussi large, il ne la contournait pas tout simplement. Puis elle remarqua que le roi se tenait juste derrière lui, l'air mécontent d'avoir dû s'arrêter. Avec les quatre gardes qui marchaient à ses côtés, ils allaient à trois de front, formant un groupe compact qui ne pourrait cependant poursuivre son chemin que si elle-même se tassait contre le mur.

— Oh! s'exclama-t-elle en rougissant. Pardon, majesté! Je viens juste d'emménager au château et je suis un peu perdue…

Elle souleva maladroitement les plis de son bliaud de soie et s'écarta. Le roi ne l'avait presque pas regardée.

— Je voulais... Majesté... Il faudrait que nous parlions à nouveau...

Coricess s'interrompit. Paol ne l'avait certainement pas reconnue, sous son voile encombrant. La tête haute, il passa son chemin sans saluer sa cousine et entra dans l'une des nombreuses pièces du château. Mais c'était peut-être mieux ainsi: après la façon désastreuse dont leur première rencontre en public s'était déroulée, la jeune fille jugeait préférable que la deuxième se passe en privé. Devant l'indifférence du roi, elle s'absorba à nouveau dans l'examen de son plan, se demandant où le conseiller Fubald avait bien pu loger ses appartements secrets. Optant pour les tours, elle partit en quête d'un escalier qui la mènerait au sommet de la plus haute sans qu'elle ait toutefois à traverser la fameuse «aile du roi»...

Hélas, il ne lui fallut pas longtemps pour grimper jusqu'au balcon de cette tour et constater qu'il n'y avait là aucune pièce mystérieuse où Fubald pouvait se cacher. Quant à la tour elle-même, elle n'abritait que trois chambres circulaires, traversées par l'escalier — les quartiers de certains domestiques, à première vue. Coricess redescendit au rez-de-chaussée, plus interloquée que jamais. Comment croire que le château royal pouvait être si grand que deux personnes ne s'y croisaient pas? Ou que tant de gens y habitaient sans que qui que ce soit connaisse les lieux favoris du conseiller du roi? La jeune fille revint donc vers le large escalier central, son plan inutile à la main, cherchant l'inspiration. Par hasard, elle repassa devant la pièce où le roi se trouvait depuis le matin, juste au moment où la porte s'ouvrait à la volée. Une femme énorme, très furieuse, sortit dans le corridor en coup de vent. Elle bouscula les quatre gardes royaux qui s'étaient alignés devant la porte et heurta violemment la princesse d'Arville au passage. Celle-ci fut précipitée au sol avec un cri de protestation. Il n'en fallait pas plus pour désamorcer la colère de l'imposante princesse du Tar.

— Pardonnez-moi, *fardi*! s'exclama-t-elle en s'agenouillant près de la jeune fille. Vous ai-je fait mal?

Coricess écarquilla les yeux et dévisagea la dame d'un âge respectable qui se penchait sur elle. La princesse Jerlinde ressemblait à un cube: on pouvait difficilement dire où se terminait son visage et où commençait son cou tant celui-ci était large. Quant à ses épaules musclées, elles auraient fait pâlir d'envie n'importe quel forgeron du Plasek! D'une poigne solide, la princesse du Tar attrapa le bras de Coricess et la remit debout dans un froufrou de soie. La jeune fille constata alors que son aînée lui arrivait à peine à l'épaule et qu'elle était aussi haute que large... Attifée d'une tunique de deuil vermeil, d'une houppelande orangée abondamment décorée de rouge et d'une guimpe de la même teinte, elle ressemblait à une pomme bien mûre!

— C'est la faute de cette tête vide de Paol: il m'a encore mise en colère, grommela la grosse princesse en replaçant sa ceinture à trousser, dérangée par l'impact avec Coricess. Moi qui suis pourtant très patiente... Mon pauvre époux m'a avertie, sur son lit de mort, que je ne tirerais rien du roi et je n'ai pas voulu le croire! Mais je bavarde sans me présenter: je suis Jerlinde du Tar.

La Taraise s'interrompit quand le roi sortit à son tour dans le corridor. Il salua courtoisement les deux princesses, comme s'il ne venait pas de se brouiller avec Jerlinde, et s'en retourna vers l'escalier central dûment escorté de ses gardes. Coricess secoua la tête en le regardant s'éloigner.

— C'est vrai qu'il est bizarre, admit-elle.

— Bizarre? Ma petite, vous n'êtes pas au château depuis longtemps pour croire qu'il est seulement bizarre! Un vrai fil-tendu!

— Un fil-tendu? répéta Coricess sans comprendre.

— Mais oui: un fil-tendu. Un jouet, un pantin... Vous n'êtes pas de l'Urania, c'est clair!

Coricess protesta, mais l'imposante Jerlinde lui intima le silence d'un geste, les yeux plissés.

— J'y suis: vous êtes la sœur de ce prince qui revendique le trône...

— Golven, oui. Golven d'Arville. Je suis ici pour...

Elle baissa le ton.

— Pour convaincre le prince de LaCôte de se rallier à la cause de mon frère. Lui et d'autres nobles influents, il va sans dire.

Jerlinde dévisagea un instant la jeune fille d'un œil critique, comme si elle soupesait ses paroles, avant de poursuivre:

— J'ai su tout de suite que vous étiez du Couchant, à cause de votre accent... Mais Alderyn de LaCôte? Vraiment?

La Taraise grimaça, manifestement sceptique, et invita la princesse d'Arville à pique-niquer dans l'un des magnifiques jardins royaux afin de discuter plus longuement de la guerre. La jeune fille ignorait si la princesse pourrait vraiment l'aider dans sa mission, mais puisque celle-ci semblait bien connaître à la fois le château royal et ses usages, Coricess supposa que passer du temps avec elle ne pourrait lui nuire. Elle la suivit donc, en silence, car Jerlinde ne lui laissait pas un instant pour placer un mot, jusque dans le jardin qui longeait le mur d'Été.

La grosse princesse s'assit sur un banc de pierre, à l'ombre d'un joli *batill* à feuilles jaunes, et Coricess se sentit obligée de l'imiter. Elle ne le regretta pas: le jardin d'Été, comme Jerlinde l'appelait, était un endroit agréable. Le mur du château empêchait les vents marins de fouetter les fleurs. Au midi, en particulier, quand le soleil réchauffait la pierre du mur, il y régnait une chaleur confortable. Pour la première fois depuis son arrivée à Unos, la princesse d'Arville cessa de frissonner. Avec en plus le doux parfum des herbes aromatiques qui poussaient entre les arbustes, il n'était pas étonnant que la princesse du Tar prenne tous ses repas ici.

— Il y a un peu plus d'un an que j'habite Unos, expliqua-t-elle. Il m'a bien fallu une saison complète pour obtenir une chambre au château royal!

— C'est vrai? Alors j'ai eu de la chance: je suis simplement arrivée ici, avec mes bagages et ma servante, et on m'a tout de suite placée dans une chambre au troisième étage...

— C'est normal, vous êtes la cousine du roi. Aucun des intendants du château royal ne prendrait le risque de vous déplaire. Au cas où votre frère réussirait à remplacer Paol, vous comprenez? Tout ici est une histoire d'influence et de courtisanerie, même chez les serviteurs. Évidemment, le conseiller Fubald n'a pas dû être consulté lorsque vous êtes arrivée, sinon vous vous seriez retrouvée sous les combles, ou pire...

Décidément, cette Jerlinde savait vraiment *tout* du château royal! Et elle en parlait avec tellement de désinvolture que Coricess, à l'écouter expliquer les habitudes les plus abracadabrantes des serviteurs, aurait juré que la Taraise avait passé toute sa vie ici. Elle sauta sur l'occasion de se renseigner:

— Qui est le conseiller Fubald? Partout, on ne parle que de lui.

Quand Jerlinde lui décrivit le petit homme à la barbiche noire, Coricess reconnut celui qui l'avait éloignée du roi, lors des joutes de chevalerie, et dont elle avait vite oublié le nom. Il avait, en effet, paru la haïr tout particulièrement, ce matin-là! Et dire que c'était par lui que la jeune fille devait passer si elle désirait rencontrer à nouveau Paol!

— Mais pourquoi me déteste-t-il?

— Tous ceux qui se trouvent dans le camp du roi vous détestent, ma chère! Ils se doutent bien que vous êtes à Unos pour coquiner.

Coricess haussa les sourcils, interdite, et Jerlinde précisa sa pensée:

— Mais oui! Pourquoi seriez-vous venue à Unos, sinon pour y gagner des alliés à la cause de votre frère? Vous ne vous attendiez pas à ce que cela plaise au conseiller de Paol, tout de même?

La jeune fille grimaça et admit que non, elle ne s'était pas attendue à être reçue à bras ouverts à Unos. Après les attaques qu'elle avait subies sur la côte uraniane, elle avait pensé découvrir un roi agressif et fourbe. Or, au contraire, Paol avait promis d'assurer sa sécurité, lui qui avait pourtant tout à craindre de sa présence dans la capitale, tandis que c'était

Fubald qui la dévisageait avec haine. Pourtant, il n'était rien d'autre qu'un employé royal... Coricess commençait à penser que tout le monde portait un masque, au château, et s'ouvrit de ses doutes à la princesse du Tar.

— Car enfin, de quoi se mêle-t-il, ce Fubald? grogna-t-elle. Cette guerre concerne les nobles, il n'a pas à se montrer courroucé à l'idée que mon frère s'assoie sur le trône!

— Coricess, je crois que vous ne saisissez pas bien la situation. À votre avis, que deviendra Fubald si votre frère accède au trône?

À n'en pas douter, à moins que le petit homme à la barbichette sache se montrer très convaincant, Golven préfèrerait s'entourer de ses propres conseillers. Fubald serait alors probablement exilé, pour qu'il ne puisse pas nuire... Enfin, Coricess comprit que le conseiller royal avait de bonnes raisons pour souhaiter la victoire de Paol dans cette guerre entre cousins.

— C'est ridicule! s'impatienta-t-elle tout de même. Le créateur souhaite voir mon frère sur le trône d'Eghantik, il n'y a rien à y redire. La volonté d'Occus prime sur tout le reste... C'est de cela qu'il me faut convaincre les nobles d'Unos!

— Et quelle preuve en avez-vous? susurra Jerlinde avec un air narquois. Occus ne s'est pas incarné sur le sol d'Afford pour expliquer ses volontés, que je sache.

— Bien sûr que non... Mais Ertus... C'est le fils de la déesse-lune Danitza! protesta Coricess en rougissant de colère. Et le grand prêtre d'Occus, à Silvo, a prié plusieurs jours avant d'annoncer que tout ce qu'a dit la sage-femme savaniane était vrai: Golven *est* l'héritier légitime du trône! Vous ne pouvez pas...

— Du calme, ma chère! Pour ma part, je me laisserais convaincre de faire confiance à Golven! N'importe qui vaudrait mieux que cette marionnette de Paol, que ce soit la volonté d'Occus ou pas. Mais ce n'est pas très flatteur pour votre frère!

— Je ne comprends pas vos doutes, Jerlinde.

— Peu importe. Laissez-moi seulement vous donner un bon conseil: si vous voulez convaincre les gens, si vous voulez couper l'herbe sous le pied de Fubald, oubliez Occus et parlez politique. Cela vaudra mieux.

Coricess faillit protester à nouveau, mais deux servantes arrivèrent à ce moment avec assez de nourriture pour satisfaire une famille. Elles placèrent du pain, de la volaille, du vin, des tartelettes, des fruits et du fromage sur une nappe de lainage brun et Jerlinde se jeta sur ce repas comme si elle n'avait pas mangé depuis des jours. Coricess, à son habitude, grignota à peine. Toutefois, dès qu'elle eut avalé quelques bouchées, elle songea avec horreur à l'avertissement de Jalel et contempla la Taraise avec suspicion. Jerlinde ne la connaissait pas, mais elle parlait de manigances et de filouteries avec trop de naturel. Elle aurait certainement pu arranger leur petit accident, mine de rien, dans le seul but de l'attirer dans le jardin pour l'empoisonner... La gorge nouée par ces soupçons, la jeune princesse ne réussit pas à avaler quoi que ce soit de plus, malgré les encouragements de Jerlinde. Attentive aux moindres réactions de son organisme, Coricess se mit alors à raconter ses mésaventures sur la côte uraniane, guettant l'expression de la princesse du Tar dans l'espoir d'y lire ses sentiments à son égard. Quand elle en vint à la trahison du seigneur Todule et que l'imposante matrone secoua la tête d'un air navré, la jeune fille se détendit un peu.

— Je ne connais pas le seigneur de Pouzole dont vous parlez, reconnut Jerlinde, la bouche pleine. Mais j'ai rencontré beaucoup de nobles qui lui ressemblent. Avides de pouvoir et de richesses, ignorant la signification du mot «loyauté»... Le roi Paol ne fait rien pour améliorer les choses, il faut l'avouer. Qui donc voudrait lui être loyal? Ceux qui se battront à ses côtés contre votre frère le feront dans le seul but de ne pas perdre leurs privilèges, je vous le garantis! Si Golven d'Arville se présentait à Unos en promettant de ne rien changer aux privilèges et aux monopoles acquis, on lui laisserait botter les fesses de ce bon à rien de Paol sans protester!

— Mais dans ce cas, à quoi bon changer de roi? soupira Coricess, après un instant de silence.

Elle écouta encore un moment le bavardage de la Taraise, puis décida que celle-ci ne pouvait se trouver dans le camp du roi. Elle paraissait le détester si fort! Personne n'aurait pu feindre un tel mépris: tout lui était prétexte pour insulter Paol. Même quand Coricess lui demanda son avis au sujet des attaques dont elle avait été l'objet, Jerlinde en profita pour se rire du roi: elle déclara tout net qu'il n'avait rien à voir avec ces attaques, parce qu'il était bien incapable d'organiser quoi que ce soit.

— Je parie qu'il ne décide même pas de ce qu'il mange, le matin au petit-déjeuner! Non... Quelqu'un d'autre a pris l'initiative.

La Taraise connaissait suffisamment les rouages du pouvoir pour lui suggérer quelques noms. Mais à part le roi, le prince de LaCôte, ses généraux et le maréchal de la garde uraniane, personne n'avait l'autorité de commander aux soldats de la région. Or, c'était précisément le maréchal Salgon qui avait confirmé les doutes de Fosco quant à l'identité de leurs assaillants: s'ils n'avaient pas forcément été des gardes royaux, ils s'étaient tout de même battus comme les guerriers bien entraînés au service du roi, avec des armes neuves que seul un riche noble aurait pu leur fournir. Salgon avait aussi décrété que d'habiles bandits n'auraient pas réussi à décimer l'escorte de la princesse d'Arville aussi facilement, sans parler de vaincre Erart, un bretteur parmi les meilleurs... Le maréchal avait aidé Coricess; néanmoins, Jerlinde le considérait comme un suspect valable.

— Mais s'il avait donné l'ordre de me faire assassiner, le maréchal ne nous aurait pas fourni tous ces indices risquant de le démasquer! protesta Coricess.

Jerlinde dut en convenir. Il restait comme suspect le prince de LaCôte.

— Inutile, dans ce cas, de chercher à lui faire rejoindre le camp de mon frère, réfléchit Coricess tout haut.

— J'ai tout de même peine à croire qu'Alderyn aurait voulu vous faire assassiner, ma chère, réfléchit la Taraise. Hier encore, je l'ai surpris qui parlait de vous avec sire Bessam. Il se demandait quels avantages il y aurait à tirer d'une union entre son fils aîné et vous.

— Ah, bon? Et son fils... C'est un parti intéressant?

Se remémorant le vieil homme aux côtés du roi, lors des joutes de chevalerie, la jeune fille se demanda quel âge pouvait bien avoir son fils aîné. La trentaine, sans doute. S'il n'était toujours pas marié à cet âge, il devait être laid ou idiot. Ou les deux à la fois. Coricess grimaça.

— Il n'est pas étonnant qu'Alderyn pense à une telle union, poursuivit Jerlinde sans tenir compte de la question. Il désire entretenir des liens d'amitié avec le roi Paol, mais aussi avec votre frère, au cas où celui-ci deviendrait puissant. Je ne suis pas votre mère, mais je vous suggère de bien réfléchir à ce mariage: Rotertus de LaCôte héritera des pouvoirs de son père, dans quelques années. N'aimeriez-vous pas être la dame d'Unos?

Certes, Coricess avait hâte de se marier et sa mère désirait la voir épouser un allié de son frère. Mais un homme de trente ans, dont le père préférait ne pas choisir de camp, courtisant à la fois Paol et Golven? Pour s'acquitter de sa mission à Unos, la jeune fille demanderait au maréchal Salgon de l'introduire auprès d'Alderyn de LaCôte. Si elle le rencontrait en compagnie de Fosco et de Jalel — car Jerlinde l'avait nommé parmi les suspects, au sujet des attaques sur la côte uraniane —, elle n'aurait pas grand-chose à craindre et rien à perdre. Peut-être réussirait-elle même à le convaincre des vertus de la loyauté, loyauté envers Golven, évidemment... Toutefois, elle doutait d'être de taille à négocier avec le puissant prince de LaCôte. Voyant ses doutes, Jerlinde se mit à rire et revint à leur principal sujet de conversation. La Taraise évoqua le conseiller Fubald:

— Lui aussi pourrait avoir donné l'ordre aux guerriers de vous attaquer. Il n'a aucun pouvoir militaire, c'est vrai, mais s'il déclare aux généraux qu'il parle au nom du roi, qui ira le contredire?

— Le conseiller me semble couver le roi... Irait-il jusqu'à usurper ses pouvoirs? Ce serait le trahir.

— Je vous l'ai dit, grommela Jerlinde. Personne ici n'est loyal envers Paol. Chacun s'occupe de ses propres intérêts, tout comme moi. Ne l'oubliez pas, si vous voulez découvrir votre ennemi.

— Alors, à votre avis, je suis toujours en danger? Même au château royal?

— Je dirais que vous êtes en danger *surtout* parce que vous êtes au château royal.

C'était exactement le contraire de ce que pensait le chevalier Jalel. Qui, de lui ou de Jerlinde, avait raison? Coricess n'en avait aucune idée. Ce fut donc très songeuse qu'elle revint au château royal. Ni elle ni l'imposante Taraise n'avaient remarqué qu'une silhouette vêtue de vert les avait épiées pendant leur repas.

À suivre dans

LE DESTIN DE CORICESS

TABLE DES MATIÈRES

Collection
Jeunesse-pop

ORGANISATION ARGUS, Daniel Sernine
LE TRÉSOR DU «SCORPION», Daniel Sernine
GLAUSGAB, CRÉATEUR DU MONDE, Louis Landry
GLAUSGAB LE PROTECTEUR, Louis Landry
KUANUTEN, VENT D'EST, Yves Thériault
LE FILS DU SORCIER, Henri Lamoureux
LA CITÉ INCONNUE, Daniel Sernine
ARGUS INTERVIENT, Daniel Sernine
L'ARBRE AUX TREMBLEMENTS ROSES, Danièle Simpson
LES ENVOÛTEMENTS, Daniel Sernine
DE L'AUTRE CÔTÉ DE L'AVENIR, Johanne Massé
LA PISTE DE L'ENCRE, Diane Turcotte
L'ÉTRANGER SOUS LA VILLE, Esther Rochon
MÉTRO CAVERNE, Paul de Grosbois
CONTRE LE TEMPS, Johanne Massé
LE RENDEZ-VOUS DU DÉSERT, Francine Pelletier
LE DOUBLE DANS LA NEIGE, Diane Turcotte
LE MYSTÈRE DE LA RUE DULUTH, Paul de Grosbois
ARGUS: MISSION MILLE, Daniel Sernine
MORT SUR LE REDAN, Francine Pelletier
TEMPS MORT, Charles Montpetit
LE CRIME DE L'ENCHANTERESSE, Francine Pelletier
LA NEF DANS LES NUAGES, Daniel Sernine
LE PASSÉ EN PÉRIL, Johanne Massé
MONSIEUR BIZARRE, Francine Pelletier
LA MER AU FOND DU MONDE, Joël Champetier
QUATRE DESTINS, Daniel Sernine
LA REQUÊTE DE BARRAD, Joël Champetier
DES VACANCES BIZARRES, Francine Pelletier
LE CHÂTEAU DE FER, Philippe Gauthier
LA PRISONNIÈRE DE BARRAD, Joël Champetier
LES RÊVES D'ARGUS, Daniel Sernine
L'OMBRE ET LE CHEVAL, Esther Rochon
LE VOYAGE DES CHATS, Luc Pouliot
LE SEPTIÈME ÉCRAN, Francine Pelletier
LE DESTIN DE QADER, Philippe Gauthier
LA SAISON DE L'EXIL, Francine Pelletier
LE CHANT DES HAYATS, Alain Bergeron
LES MOTS DU SILENCE, Johanne Massé
LE JOUR-DE-TROP, Joël Champetier
LA BIZARRE AVENTURE, Francine Pelletier

LA GUERRE DES APPALOIS, André Vandal
LE VOYAGE DE LA SYLVANELLE, Joël Champetier
LA PLANÈTE DU MENSONGE, Francine Pelletier
CHAT DE GOUTTIÈRE, Jean-Michel Lienhardt
ALLER SIMPLE POUR SAGUENAL, Jean-Louis Trudel
LE CADAVRE DANS LA GLISSOIRE, Francine Pelletier
LE SECRET DES SYLVANEAUX, Joël Champetier
UN TRÉSOR SUR SERENDIB, Jean-Louis Trudel
UNE NUIT BIZARRE, Francine Pelletier
NADJAL, Julie Martel
LES VOLEURS DE MÉMOIRE, Jean-Louis Trudel
LE PRINCE JAPIER, Joël Champetier
LES FORÊTS DE FLUME, Guillaume Couture
LA TRAVERSÉE DE L'APPRENTI SORCIER, Daniel Sernine
DANS LA MAISON DE MÜLLER, Claude Bolduc
LES RESCAPÉS DE SERENDIB, Jean-Louis Trudel
LE PRISONNIER DE SERENDIB, Jean-Louis Trudel
L'OMBRE DANS LE CRISTAL, Alain Bergeron
LE MAGE DES FOURMIS, Yves Meynard
LA SPHÈRE INCERTAINE, Guillaume Couture
LA QUÊTE DE LA CRYSTALE, Julie Martel
L'ARBRE NOIR, Michel Lamontagne
LE FANTÔME DE L'OPÉRATEUR, Francine Pelletier
LES PRINCES DE SERENDIB, Jean-Louis Trudel
DES COLONS POUR SERENDIB, Jean-Louis Trudel
UN TRAÎTRE AU TEMPLE, Julie Martel
LE VAISSEAU DES TEMPÊTES, Yves Meynard
LE PRINCE DES GLACES, Yves Meynard
CHER ANCÊTRE, Francine Pelletier
FIÈVRES SUR SERENDIB, Jean-Louis Trudel
UN PRINTEMPS À NIGELLE, Jean-Louis Trudel
LE FILS DU MARGRAVE, Yves Meynard
DAMIEN MORT OU VIF, Francine Pelletier
UN ÉTÉ À NIGELLE, Jean-Louis Trudel
CONCERTO POUR SIX VOIX, Collectif
LES LIENS DU SANG — TOME 1, Louise Lévesque
LES LIENS DU SANG — TOME 2, Louise Lévesque
UN HIVER À NIGELLE, Jean-Louis Trudel
LES BANNIS DE BÉTELGEUSE, Jean-Louis Trudel
LE CHÂTEAU D'AMITIÉ, Julie Martel
LA PORTE DU FROID, Claude Bolduc
UN AUTOMNE À NIGELLE, Jean-Louis Trudel
CELUI QUI VOIT, Michel Lamontagne
LA LETTRE DE LA REINE, Julie Martel

RISQUE DE SOLEIL, Louise Lévesque
LES CONTREBANDIERS DE CAÑAVERAL, Jean-Louis Trudel
LES EAUX DE JADE, Francine Pelletier
LA CLÉ DU MONDE, Guy Sirois
NIGELLE PAR TOUS LES TEMPS, Jean-Louis Trudel
UN VOYAGE DE SAGESSE, Guy Sirois
DÉSILLUSIONS, Julie Martel
LE GUET-APENS, Julie Martel
GUERRE POUR UN HARMONICA, Jean-Louis Trudel
LE MESSAGER DES ORAGES, Laurent McAllister
LE CRIME DE CULDÉRIC, Francine Pelletier
LES NUAGES DE PHŒNIX, Michèle Laframboise
LES TRANSFIGURÉS DU CENTAURE, Jean-Louis Trudel
HORIZONS BLANCS, Guy Sirois
LE REVENANT DE FOMALHAUT, Jean-Louis Trudel
À DOS DE DRAGON, Julie Martel
PAS DE SECRETS POUR MOI, Louise Lévesque
SUR LE CHEMIN DES TORNADES, Laurent McAllister
LE PERROQUET D'ALTAÏR, Jean-Louis Trudel
LA LUNE DES JARDINS SANS SOLEIL, Jean-Louis Trudel
L'HÉRITIER DE LORANN, Yves Meynard
L'ENFANT DE LA TERRE, Yves Meynard
LA PRINCESSE DE TIANJIN, Jean-Louis Trudel
LES INSURGÉS DE TIANJIN, Jean-Louis Trudel
L'HÉRITAGE DES JUMEAUX, Julie Martel
LES DESTINS GUERRIERS, Julie Martel
LE DESTIN DE CORICESS, Julie Martel